JN015229

子供の科学
サイエンスブックス
NEXT

明るい星がよくわかる！

1等星図鑑

藤井旭 著

誠文堂新光社

はじめに

夜空を見上げると、すぐ目にとまる明るい星からかすかにしか見えない淡い星まで、さまざまな明るさの星が輝いています。ただ、最近のようにネオンや外灯などの街明かりで夜空全体が明るくなっている市街地内では、淡い星はすっかり姿を消し、見えるのはほんのわずかな明るい星だけというところも多くなってきています。読者のみなさんの住んでいる町の夜空はいかがでしょうか。星空にめぐまれない環境の夜空であっても、1等星にランクづけされる明るい星たちだけは、さすがにひと目でわかる輝きで私たちの目をひきつけ、星空への興味を誘ってくれています。

この本では、1.49等星までの全天で21個ある明るい星たちを「1等星」として扱っています。四季それぞれの夜空に姿を見せてくれる1等星たちを目にすれば、星座の姿がとらえにくいような市街地内でも、星座ウォッチングなどが楽しめます。つまり、明るい1等星を見つけ出して手がかりにすれば、星空に親しみ、その喜びを知る第一歩が踏み出せるというわけです。

さあ、今宵もすばらしい星空が広がっています。さっそく、この本を頭上にかざし、お目当ての1等星を見つけ出してください。そして、1等星たちが夜どおし語り聞かせてくれる星座神話や宇宙のドラマに耳を傾け、1等星たちとの会話を心ゆくまで楽しませてもらうことにしましょう。

藤井　旭

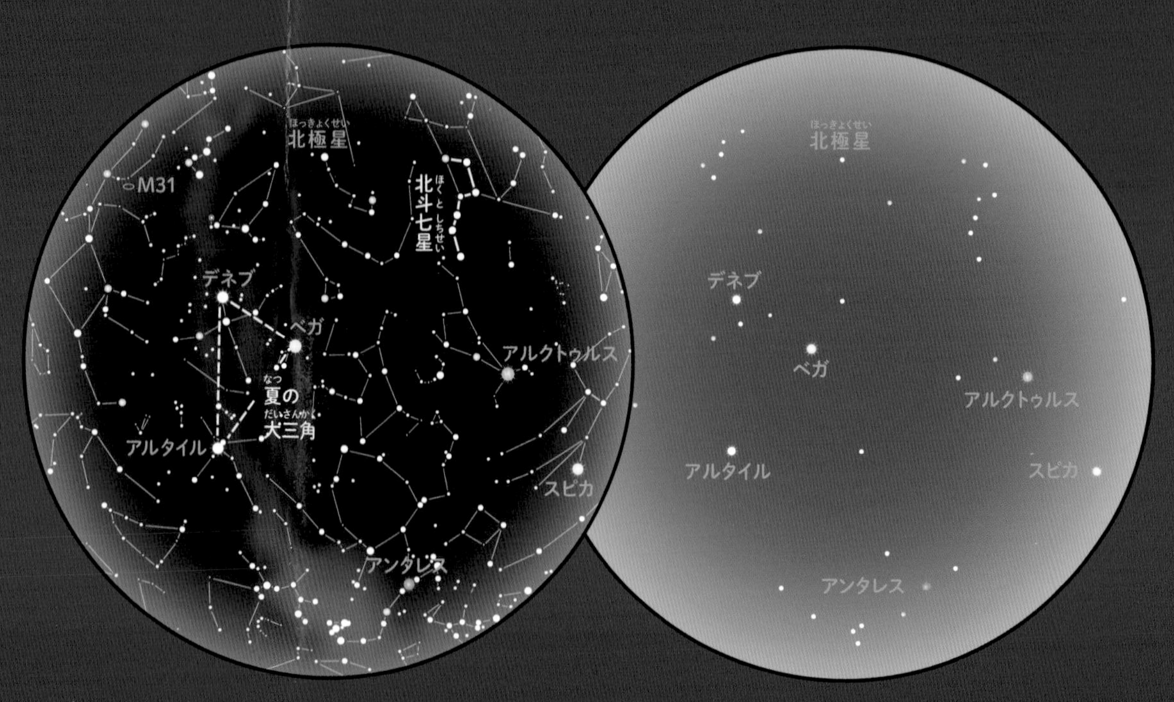

高原などでの夏の星空
夜空の暗く澄んだ場所では満天の星の輝きが楽しめます。

市街地での夏の星空
ネオンや外灯などで夜空が明るい市街地でも1等星はよくわかります。

目次

1章　1等星の基本を知ろう！

2章　冬の1等星を見上げよう！

3章　春の1等星を見上げよう！

4章　夏の1等星を見上げよう！

5章　秋の1等星を見上げよう！

6章　南半球の1等星を見上げよう！

動画も見てみよう！

この本の関連動画をチェック！ 子供の科学のWebサイト「コカネット」内にある「サイエンスブックスNEXT特設」サイトで視聴できます。
https://kodomonokagaku.com

単位や略語などの読み方と記号の意味

m　メートル	＋ プラス	M エム
km キロメートル	－ マイナス	メシエカタログにおける星の番号。例：M42
pc　パーセク	° 度(経度と緯度、角度)	hとm 赤経
K　ケルビン	′ 分(経度と緯度)	例：15h16m(15時16分)
%　パーセント	″ 秒(経度と緯度)	

1章 1等星の基本を知ろう！

星の明るさを等級で表そう

星空を見上げると、さまざまな明るさの星が輝いています。その星ぼしを明るさごとにランクづけしたのが、1等星とか2等星などと呼ばれる星の明るさの言い表し方です。

これは星の「光度」とか「等級」と呼ばれるもので、目安として、肉眼で見える限界のかすかな星が「6等星」で、その100倍の明るさの星が「1等星」になることを覚えておきましょう。つまり、1等級違うごとにおよそ2.5倍ずつ明るさが違ってくるわけです。

夜空の暗く澄んだ高原などでは、肉眼でも淡い6等星ぐらいまで見えますが、ネオンや外灯で夜空の明るい市街地内では3等星ぐらいまでしか見えません。

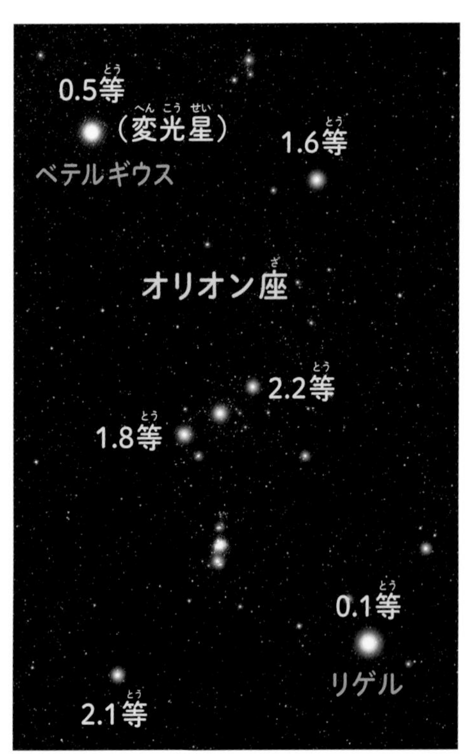

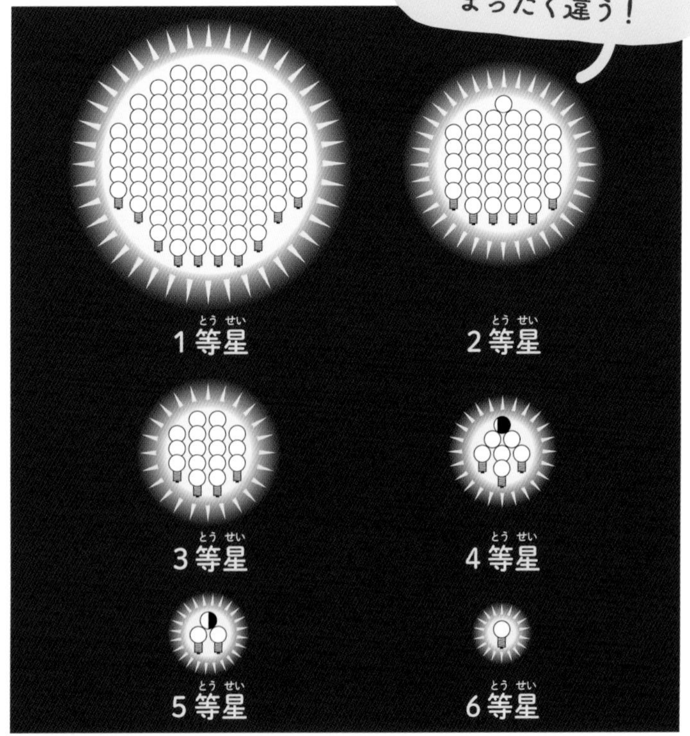

星の明るさ比べ　星の明るさの違いをわかりやすく示したのが、右上の豆電球の図です。1等星の明るさが実感できるでしょう。なお、1等星より明るい星は、「0等星」とか「－1等星」などと呼び、6等星より暗い星は7等星、8等星などと、数字が大きくなっていきます。もっと詳しい明るさを表現したいときは、0.1等星、0.2等星などと小数点をつけて表します。

1等星のリスト

この本で1等星として紹介しているのは1.49等星までの明るさの星で、全天で21個あります。しかし、同じ1等星の明るさの星でも、その正体はさまざまです。その性質の違いを一覧表にして、紹介しましょう。

同じ1等星でも性質が違う！

明るさの順位	1等星名	星座	位置（2000.0）		実視等級※1	距離(光年)（8ページ）	絶対等級（9ページ）	この星から見た太陽の等級	備考
			赤経（6ページ）	赤緯（6ページ）					
1	シリウス	おおいぬ	06 45.1	−16°43′	−1.5等	8.6	1.5等	1.9等	白色矮星を持つ（21ページ）
2	カノープス	りゅうこつ	06 24.0	−52 42	−0.7	309	−5.6	9.7	南極老人星
3	ケンタウルスα	ケンタウルス	14 39.6	−60 50	−0.3d	4.3	4.4	0.3	最も近い恒星系
4	アルクトゥルス	うしかい	14 15.7	+19 11	0.0	37	−0.3	5.1	高速で移動中
5	ベガ	こと	18 36.9	+38 47	0.0	25	0.6	4.2	織女星
6	カペラ	ぎょしゃ	05 16.7	+46 00	0.1d	43	−0.5	5.4	分光連星※2
7	リゲル	オリオン	05 14.5	−08 12	0.1	863	−7.0	11.9	実視連星※3
8	ベテルギウス	オリオン	05 55.2	+07 24	0.5	498	−5.5	10.7	半規則変光星（25ページ）
9	プロキオン	こいぬ	07 39.3	+05 14	0.4	11	2.7	2.4	白色矮星を持つ
10	アケルナル	エリダヌス	01 37.7	−57 14	0.5	139	−2.7	8.0	高速自転
11	ケンタウルスβ	ケンタウルス	14 03.8	−60 22	0.6	392	−4.8	10.2	表面温度2万3000度
12	アルタイル	わし	19 50.8	+08 52	0.8	17	2.2	3.4	高速自転・牽牛星
13	アルデバラン	おうし	04 35.9	+16 31	0.9	67	−0.8	6.4	表面温度3000度
14	みなみじゅうじα	みなみじゅうじ	12 26.6	−63 06	0.8d	322	−4.2	9.8	実視連星
15	スピカ	おとめ	13 25.2	−11 10	1.0d	250	−3.4	9.2	近接連星
16	アンタレス	さそり	16 29.4	−26 26	1.0d	554	−5.1	10.1	実視連星
17	ポルックス	ふたご	07 45.3	+28 02	1.1	34	1.0	4.9	表面温度4400度
18	フォーマルハウト	みなみのうお	22 57.7	−29 37	1.2	25	1.8	4.2	チリ円盤（62ページ）
19	デネブ	はくちょう	20 41.4	+45 17	1.2	1412	−6.9	13.0	最遠の1等星
20	みなみじゅうじβ	みなみじゅうじ	12 47.7	−59 41	1.2	279	−3.4	9.5	表面温度2万5000度
21	レグルス	しし	10 08.4	+11 58	1.4	79	−0.6	6.7	表面温度1万3000度

1等星の表

全天で21個の1等星を明るい順に並べたものです。このうち、実視等級でdの記号がついているものは二重星（13ページ）としての合成等級です。南の地平低く見える1等星の場合は、低い星ほど地球の大気を長く通って光が届き、大気に光が拡散される影響で頭上に見える1等星よりずっと暗めに見えることもあります。

※1 緑から黄色の波長域で感度が高い肉眼で見た明るさから決めた等級。／※2 スペクトル線の観測からわかる連星。／※3 2つの恒星が、長期間にわたる位置観測から、実際にお互いのまわりを公転運動していることが確認できている連星。

全天で見られる1等星

地球上の位置は経度と緯度で示されますが、星の位置の場合は「赤経」と「赤緯」で言い表します。これは地球上の経度と緯度をそっくりそのまま星空の天球に投影したもので、北極は「天の北極」、赤道は「天の赤道」などと言い表します。赤経は東経や西経ではなく、うお座の「春分点※」から東まわりに360°測り、15°を1時間として、24時間に分け、赤経15時16分（15ʰ16ᵐ）などと言い表します。

南天の1等星
天の北極のあたりには1等星はありませんが、天の南極のあたりには明るい1等星が6個もあって、にぎやかな星空となっています。

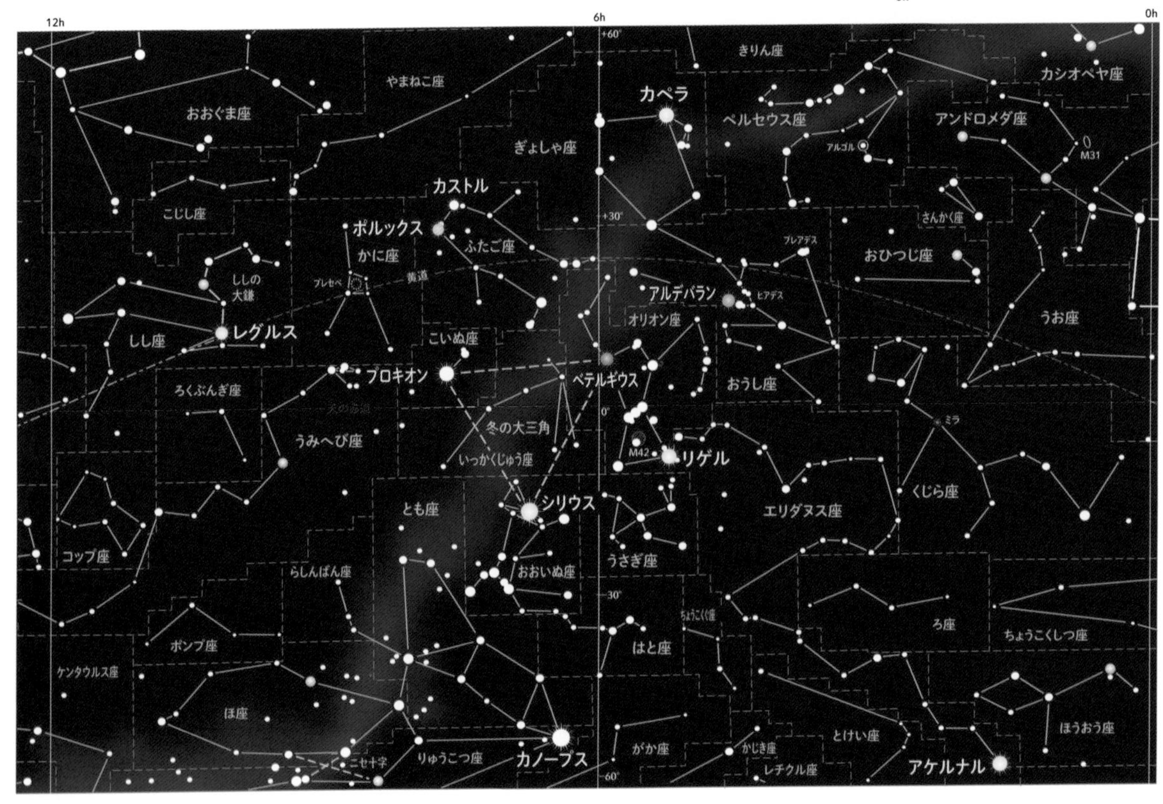

全天星図

※天の赤道と黄道の交点の1つ。天の赤道を基準に考えると、太陽が南から北へ移る点。

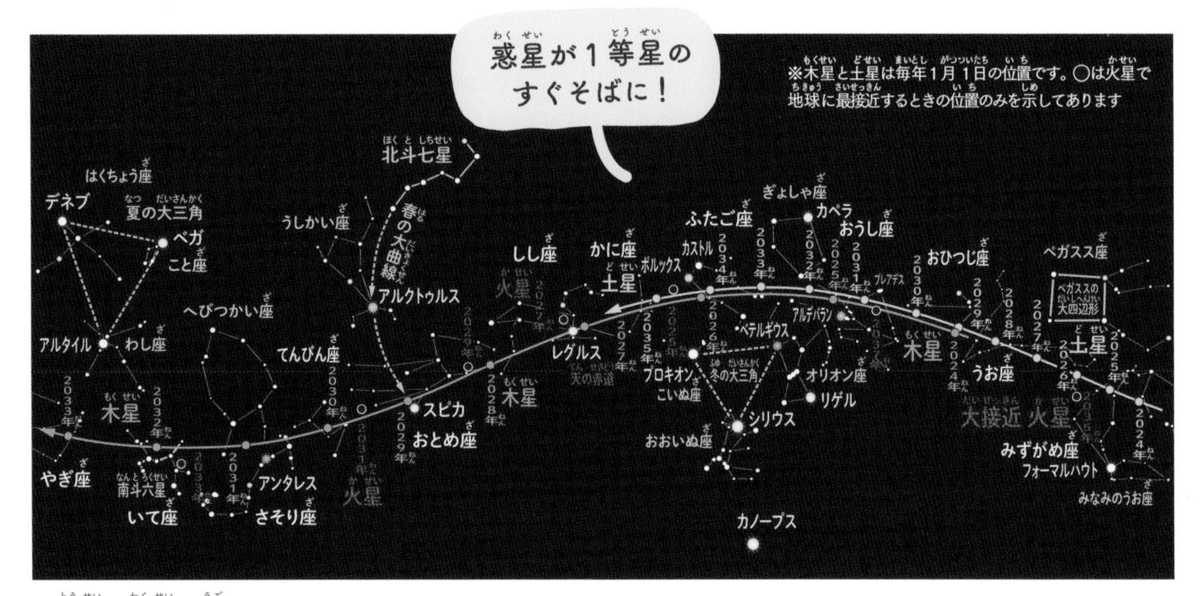

1等星と惑星の動き

明るい惑星は、太陽の星空の通り道「黄道」に沿って動いていき、黄道に近い1等星と並んで見えることがあります。上図に示してあるのは火星、木星、土星のおおまかな動きの様子で、詳しい位置は毎年刊行される『天文年鑑』(誠文堂新光社) などで知ることができます。明るい惑星と1等星が並んで輝く光景は素晴らしい見ものとなります。

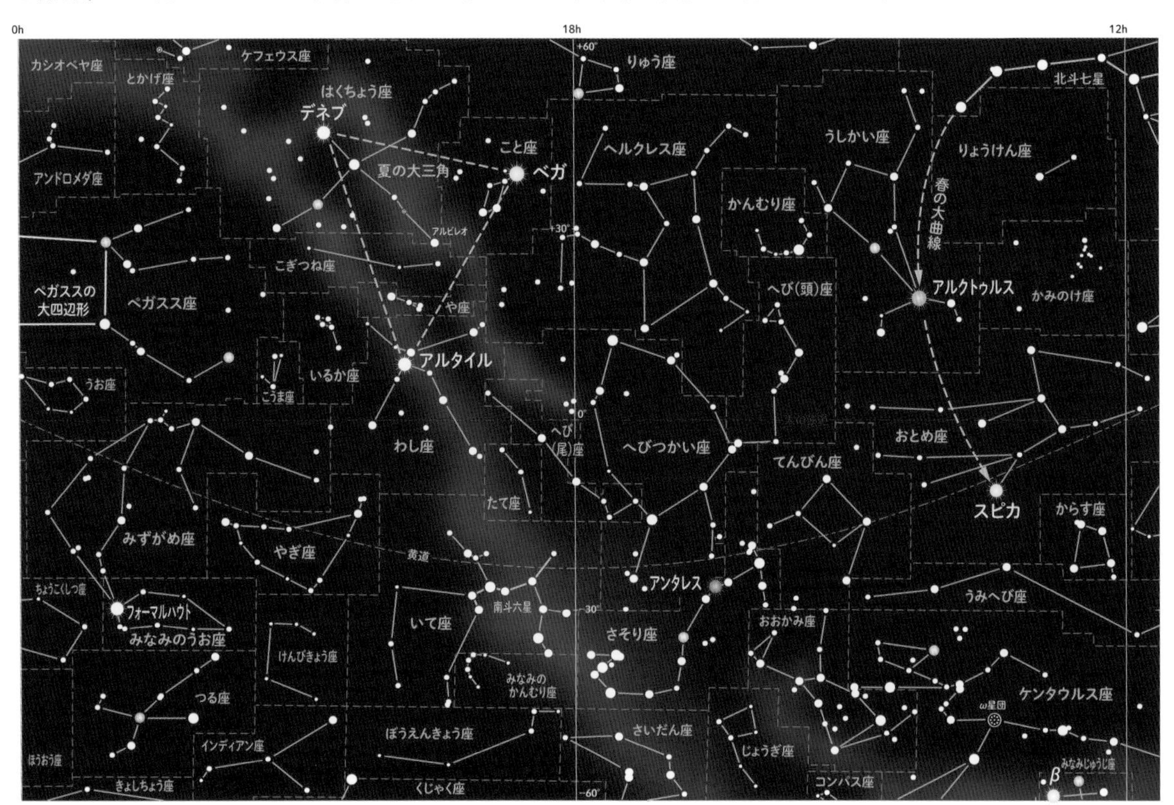

星までの距離は「光年」を使って表そう

星までの距離は、ものすごく遠いので、普段、私たちが使いなれているmやkmといった単位で表すのは数字が大きくなりすぎて不便です。そこで、1秒間におよそ30万km進む光が1年間かかって進む距離、およそ9兆4600億kmを「1光年」とする単位で言い表すことにしています。

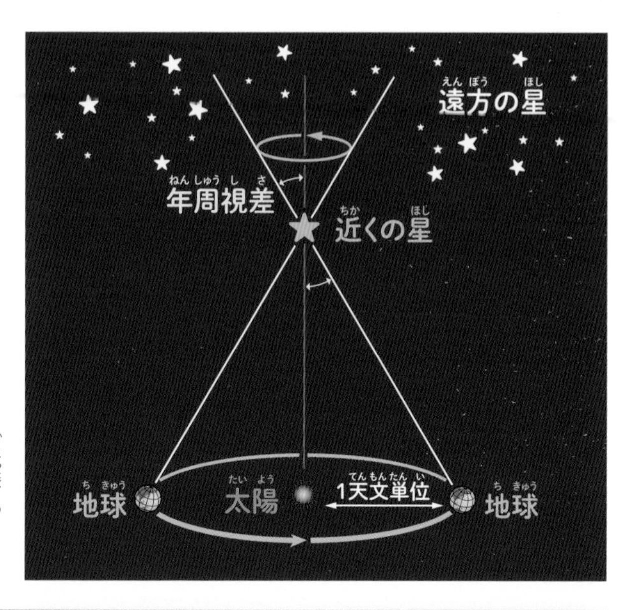

1等星までの距離の測り方

天体までの距離の測り方はいろいろありますが、距離の近い1等星の場合は、地球の軌道の大きさを利用した三角測量の方法で直接知ることができます。右の図に出てくる「天文単位」は、太陽系の天体の距離を示すときによく使います。「1天文単位」を地球と太陽の間の平均距離（約1億5000万km）としたものです。

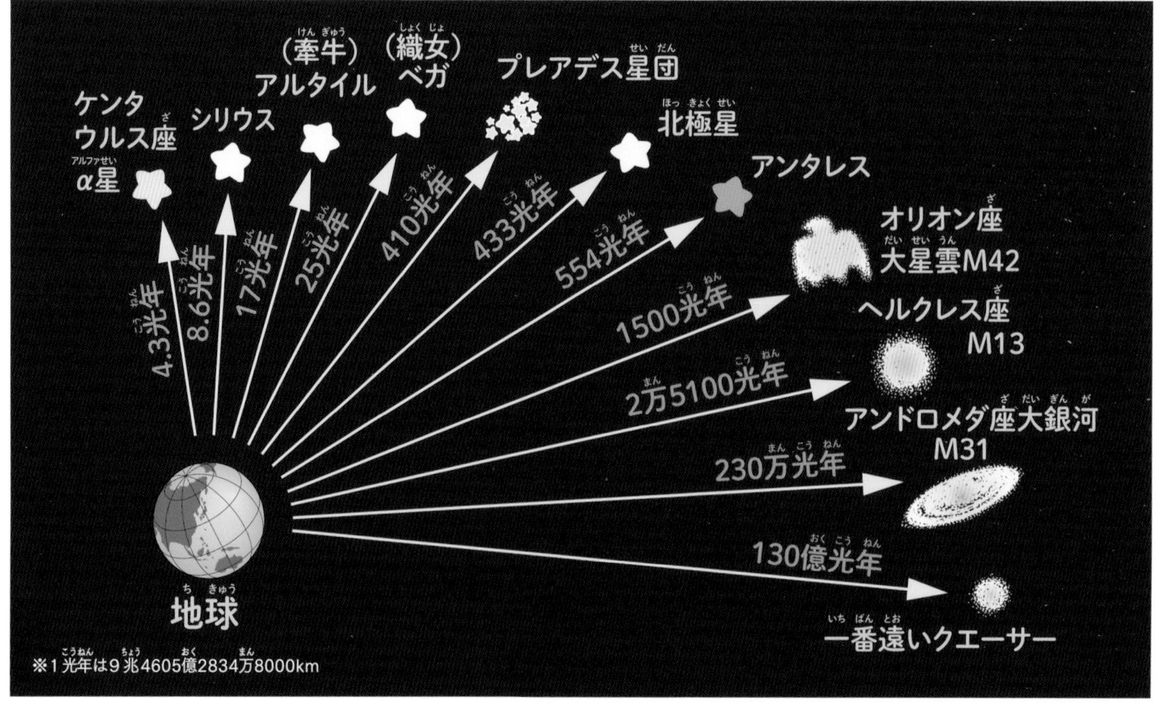

天体までの距離

「光年」は、距離と同等に時間も言い表すので、遠い星ほど、私たちはその星の昔の光を見ていることになります。例えば、距離25光年の七夕の織女星ベガの輝きは、25年前にベガを出発した光というわけです。25歳以下の人は、自分の生まれる前のベガの輝きを見ていることになるのです。

本当の明るさ比べ「絶対等級」

1等星までの距離は、それぞれ違います。このため、私たちが目にしている1等星の明るさがそのまま実際の明るさを示しているものではないことに、すぐ気がつくでしょう。距離が遠ければ、実際にはとても明るい1等星でも暗めに見えることになるからです。そこで、1等星の本当の明るさ比べをするために、すべての1等星を32.6光年のところに持ってきて、その明るさの実力比べをしたときの明るさを「絶対等級」と言っています。太陽の見かけの明るさは−26.8等級で、1等星のなんと1300億倍もの明るさがありますが、32.6光年まで遠ざける絶対等級だと、4.8等というごく小さな平凡な明るさの星としてしか見えないことになってしまいます。ちなみにオリオン座の0等星リゲルは、863光年のところにあるので、絶対等級−7等の見事な星だとわかります。

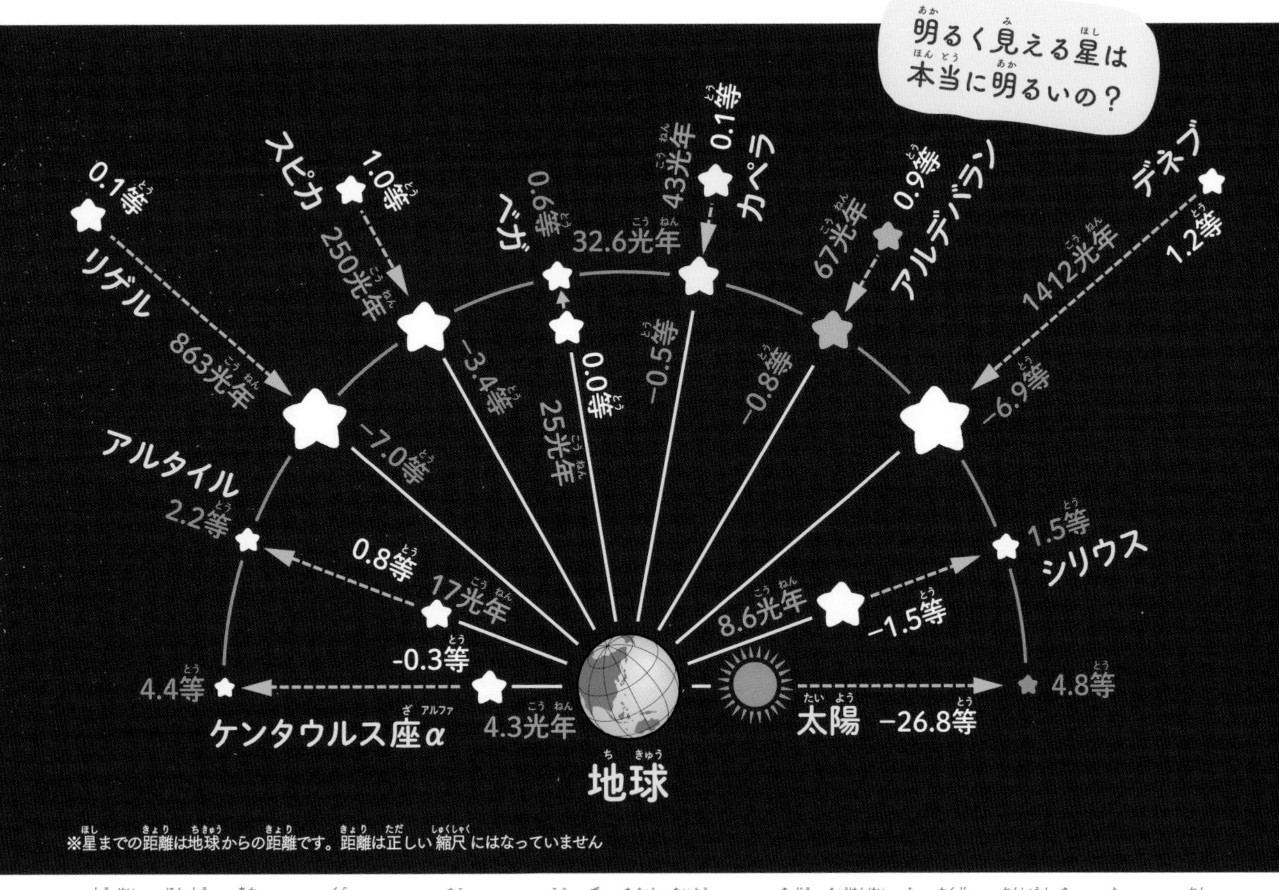

1等星の本当の明るさを比べよう

前のページの上の図の地球が太陽をめぐる軌道の長半径を見る角度を「年周視差」と呼び、その年周視差が1″角になる距離3.26光年を1pcと呼んでいます。その10倍の10pc、つまり32.6光年のところに星を持ってきて、本当の明るさ比べをするのが「絶対等級」というわけです。

星の一生と1等星

夜空に明るく輝く1等星たちですが、永遠にそのまま輝き続けるというわけでもありません。1等星たちにも一生があって、元気に明るく輝いているものもあれば、まもなく超新星の大爆発を起こして砕け散り、死を迎えようとしている年老いた1等星もあるのです。その星たちの一生の寿命を左右するのは、生まれたときの重さです。重く生まれた星は、明るく輝きすぎて、燃料である水素をムダ遣いするので、数千万年から数百万年で一生を終えますが、軽く生まれたものは数百億年も長生きできるのです。

星の一生はこれだ！

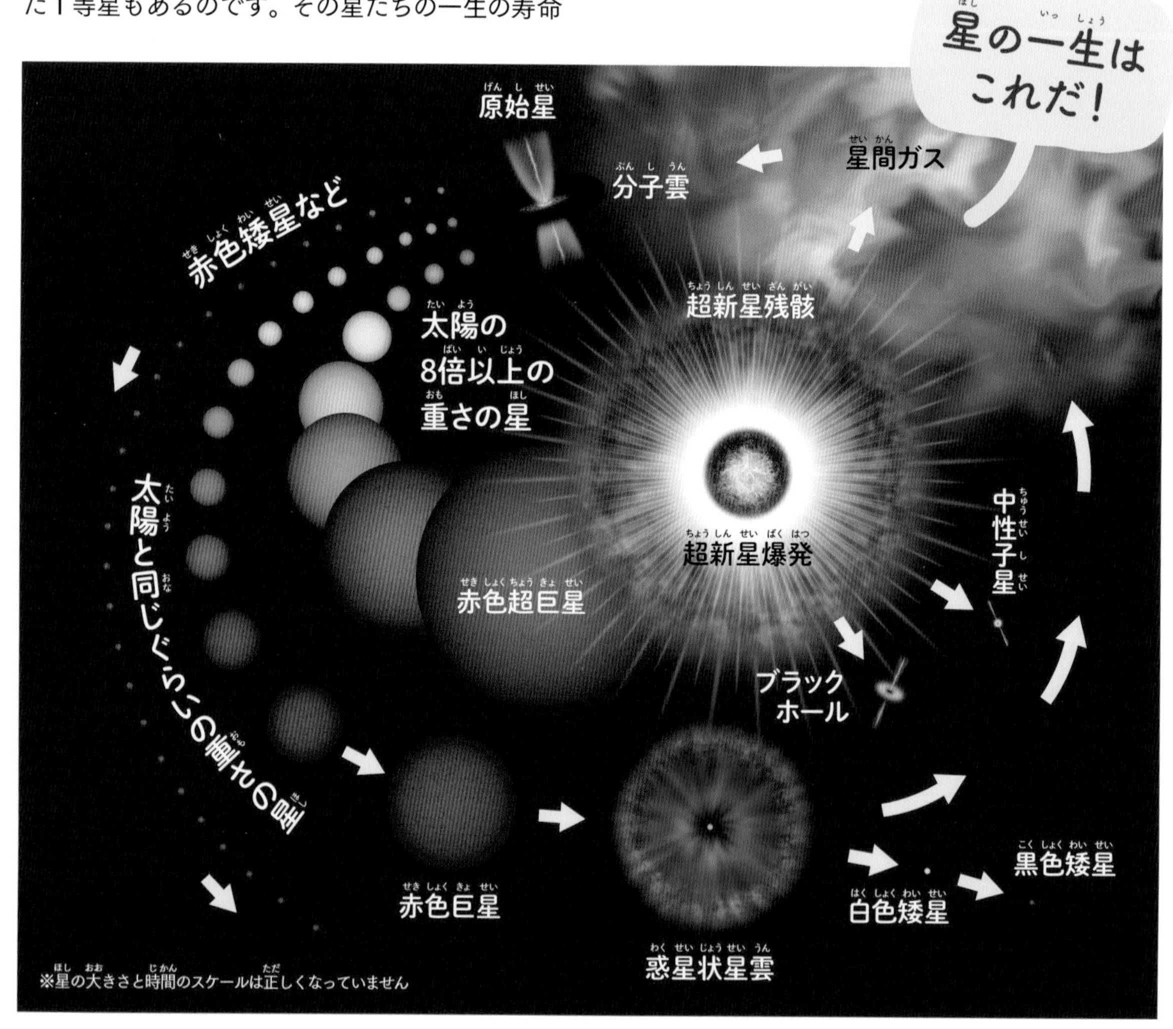

星の一生 宇宙にただよう星間ガスは、主に水素と固体微粒子の細かいチリからできていますが、これが星の誕生の素材となるものです。その星間ガスの密度の濃い部分がお互いの重力で寄り集まると、いくつものかたまりができ、やがてたくさんの星となって輝きはじめます。私たちの太陽もおよそ50億年前にこうして誕生したと考えられています。なお、「矮星」の矮は小さいという意味です。

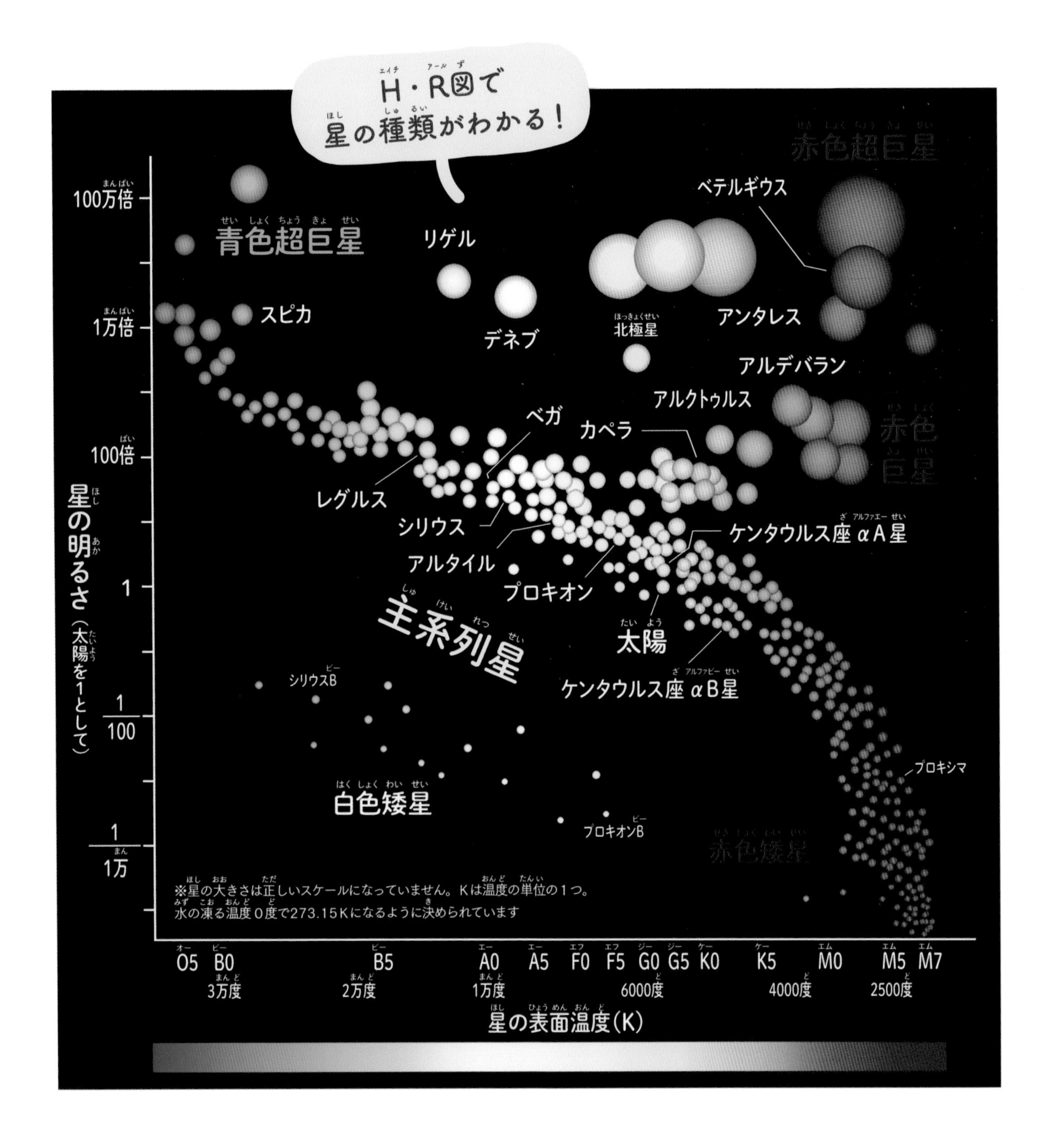

ヘルツシュプルング・ラッセル（H・R）図で1等星の種類がわかる

星の明るさと、表面温度で恒星を分類して表したものが、H・R図です。どんな星も明るさと表面温度がわかれば、その種類を知ることができるというわけです。図の左上から右下へななめの列に並ぶのが「主系列星」の仲間で、私たちの太陽もこの主系列星の仲間です。星は、星の一生の9割もの時間を主系列星として過ごし、一生の終わりが近づくと、赤色巨星や赤色超巨星になり、やがて惑星状星雲や超新星爆発を起こし、白色矮星や中性子星など小さな星になって死を迎えます。太陽もおよそ50億年後に赤色巨星へと変身するでしょう。

1等星の色の違いを観察しよう！

1等星の輝きを見ていると、実にさまざまな色で光っていることに気づかされます。色の違いは、その星の表面温度の違いを表しているのです。ごく大ざっぱに言ってしまえば、赤く見える1等星の表面温度は3000度くらいと低く、青白いものは1万度くらいと高いことになるわけです。私たちの太陽は6000度なので黄色みを帯びて見えることになります。

表面温度の違いによる1等星の色

太陽や星の光をプリズムなどに通して見ると、虹のように7色に分かれます。これが「スペクトル」と呼ばれるものです。光を波長ごとに分けたスペクトルを調べると、その天体の性質を知ることができる、つまり、1等星の中にどのような元素がどれだけあるのか、温度はどれくらいなのかなどがわかります。1等星などの恒星のスペクトルは表面温度が高い方から低い方へ、O、B、A、F、G、K、Mという型に分類されており、その関係を示したのが右の図です。表面温度によってどの波長の光が強く放射されるのかが決まるため、スペクトルを見ても、高温の星は青っぽく、低温の星は赤っぽくなるのがわかります。太陽はG型の星なので、遠くからは黄色っぽく輝いて見えることになります。

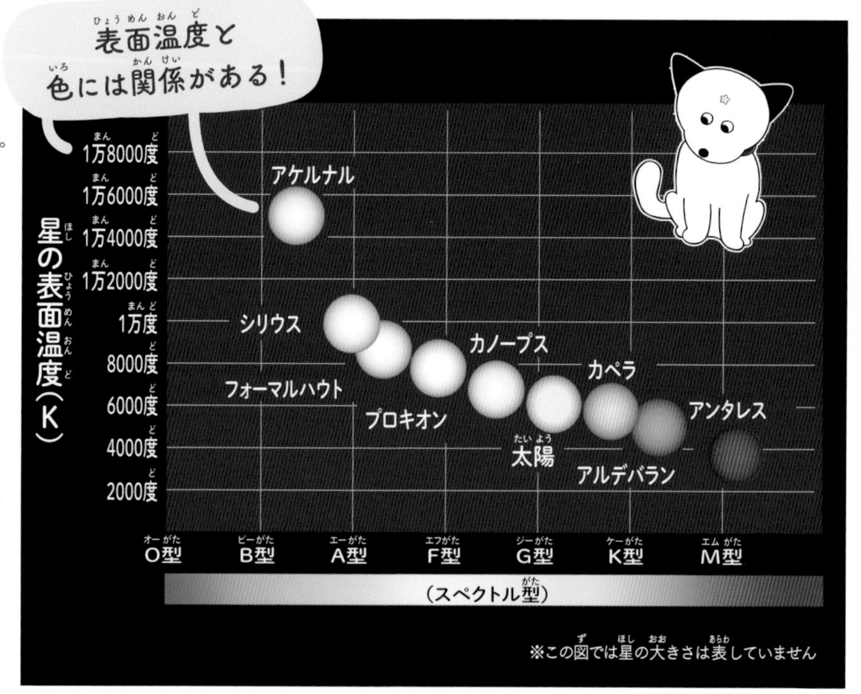

1等星を「双眼鏡」で見よう

明るい1等星の色の違いは肉眼で見てもよくわかりますが、双眼鏡があるとさらにその違いをはっきり確かめることができます。肉眼でわかりにくい淡い星の色の違いも双眼鏡ならよくわかるので、双眼鏡で恒星の色の違いを観察するのもおすすめです。倍率が高いとブレて観察しにくいので、右の写真のように固定しましょう。なお、双眼鏡や天体望遠鏡で星の色を確かめるときは、少しピントをぼかしてみるのもよいでしょう。

上の図ではイスに固定しています。

変光星と連星を観察すると…

いつも明るさが変わらないように見える恒星の中には明るさが変化するものがあり、「変光星」と呼ばれています。1等星の中では、オリオン座のベテルギウスやさそり座のアンタレスなどが明るさを変えることがわかります。近くの明るさの変わらない星の光度と見比べながら気長に観察すると、変光の様子を確かめることができます。

私たちの太陽は、単独の星ですが、恒星の中には2つ以上の星がめぐりあう「連星系」をつくっているものが結構多いのです。距離の違う星がたまたま同じ方向に見えているだけの「見かけの二重星」の場合と違って、実際にお互いの重力で結びついてめぐりあう連星は「主星」のまわりを「伴星」が軌道を描いて動く様子が、望遠鏡で観察できるものもあります。

オリオン座のベテルギウス付近の星の明るさ

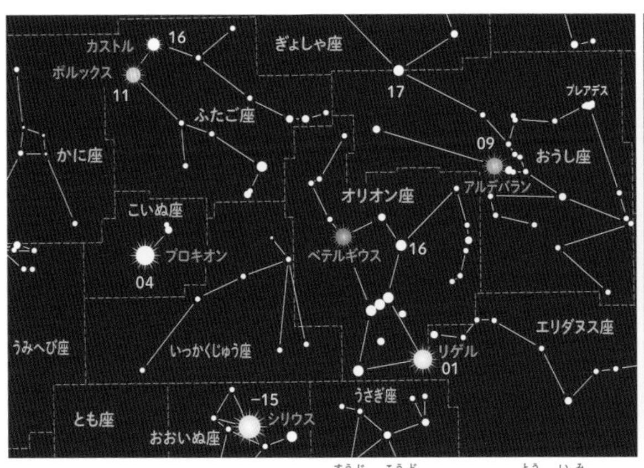

※数字は光度を、08は0.8等を意味します

おおいぬ座のシリウスの伴星の動き

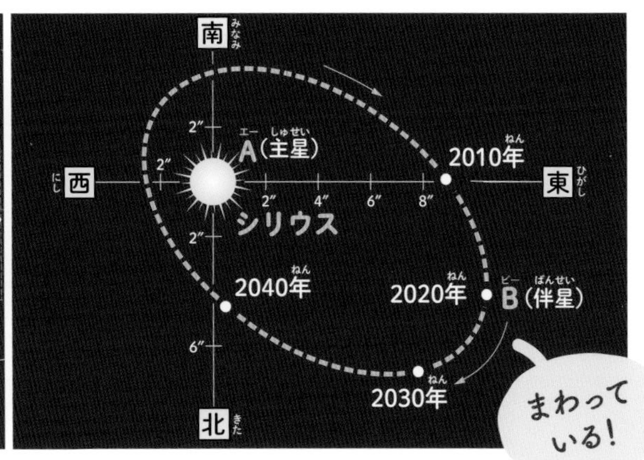

1等星を「望遠鏡」で見よう

1等星を天体望遠鏡でアップにして見ると、明るい主星のすぐそばに小さな伴星がくっついているのがわかるものがあります。「二重星」とか「連星」と呼ばれるものです。例えば、26ページのオリオン座のリゲルも二重星です。間隔がごくせまいものや色の違いは、倍率を高くして見るなどして楽しむのがよいでしょう。連星の場合は位置が変わるものもありますが、その移動を確かめるには何年も何十年もかかるのが普通です。望遠鏡を持っていない場合は、近くの公開天文台の観望会に参加して見せてもらうのがよいでしょう。

望遠鏡で倍率を変えて
1等星を見るのがよいでしょう

太陽と月と1等星の明るさ

太陽の明るさは－26.8等級で、これは1等星のざっと1300億倍に近い明るさなので、太陽がまぶしすぎて、昼間の青空の中には星座の星は1つも見あたりません。一方、月の明るさは満月のときで－12.6等級で、これは1等星の28万倍程度の明るさですから、月夜の晩でも1等星の輝きを見つけるのは難しくありません。また、1等星は夜空の明るい市街地内でも見ることができます。

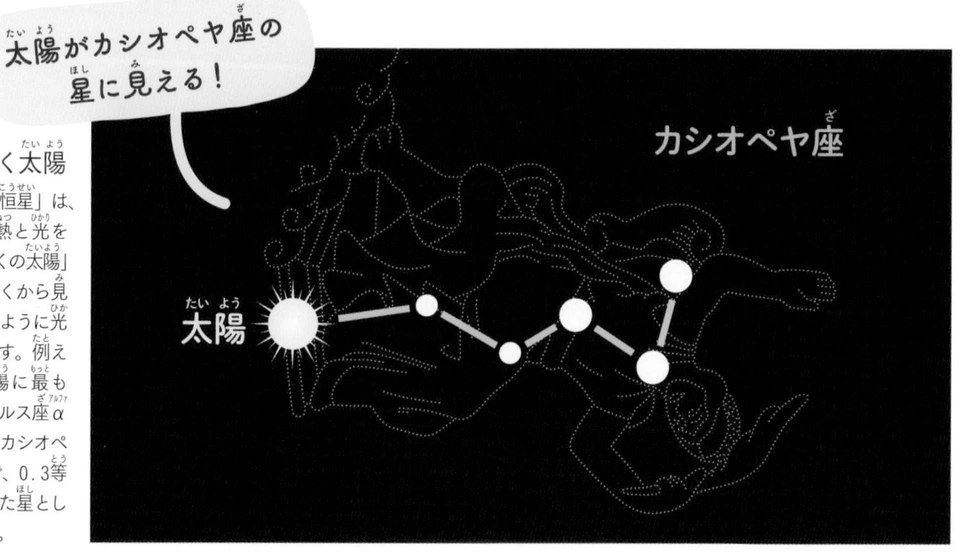

カシオペヤ座に輝く太陽

星座を形づくっている「恒星」は、太陽と同じように自ら熱と光を放っている、いわば「遠くの太陽」です。つまり、太陽も遠くから見ると、地球から見る星のように光って見えるというわけです。例えば、72ページにある太陽に最も近い4.3光年のケンタウルス座α星から眺めると、太陽はカシオペヤ座のW字形の近くで、0.3等級の明るく黄色みを帯びた星として見えることになります。

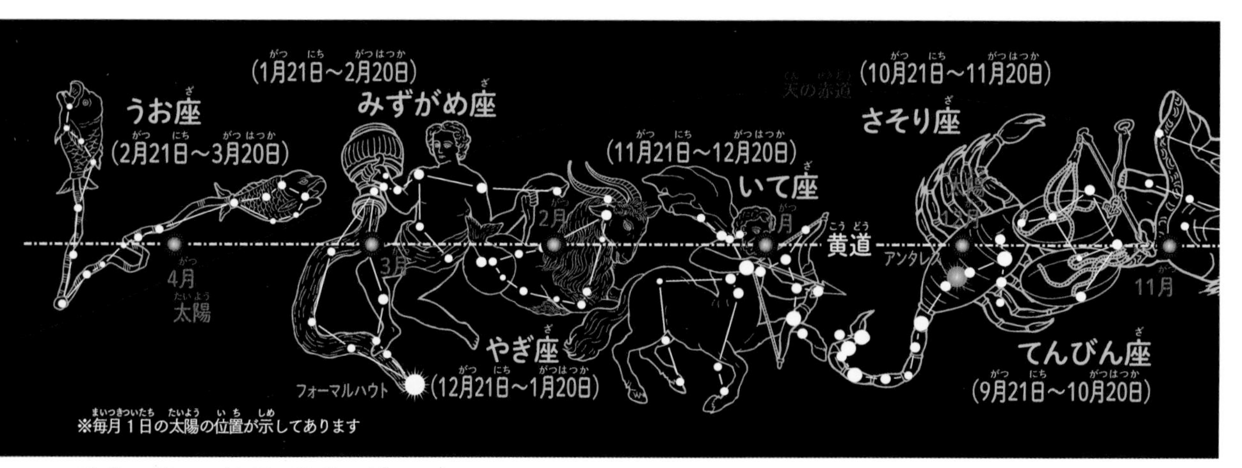

黄道に近い1等星と太陽の動き

地球は1年がかりで太陽のまわりをめぐっていますが、地球から太陽を見ていると、1年がかりで星空を1周するように見えます。その太陽の星空の通り道が「黄道」です。昼間なので、黄道の近くにある1等星と太陽の接近の様子は見られませんが、想像してみるのも興味深いことでしょう。

月に隠される1等星

星空での月の通り道「白道」にかかることのある、1等星レグルスやスピカ、アンタレスやアルデバランは月に隠されることがあり、肉眼や双眼鏡でその様子が見られます。

1等星アンタレスの食

さそり座の真っ赤な1等星アンタレスが月に隠され、出てくる様子を合成写真で示したものです。明るめの恒星が月に隠される「星食」の予報は、毎年刊行される『天文年鑑』などに発表されます。

誕生星座は誕生日には見えない！

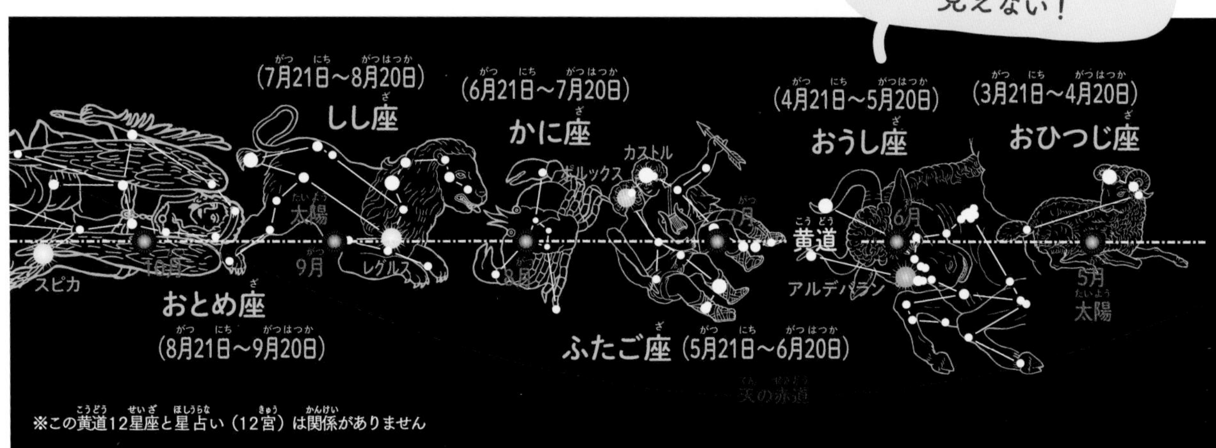

黄道にある星座と誕生星座たち

太陽の通り道「黄道」上にあるのが12の黄道星座です。これらが自分の誕生日と関係のある、いわゆる「誕生星座」として親しまれているものです。自分の誕生星座を実際の夜空で見つけられると、とてもうれしくなりますが、自分の誕生日のころは、太陽が誕生星座の近くにいて昼間になるので見ることができません。宵のころに見つけたかったら、誕生日の3～4か月前の日暮れの空で見るのがよいでしょう。

2章 冬の1等星を見上げよう！

冬の1等星

北風の中に身を置いて星空を見上げるのは、少しおっくうかもしれませんが、さえわたった大気の中で一年中で最も美しい1等星たちの輝きが楽しめます。

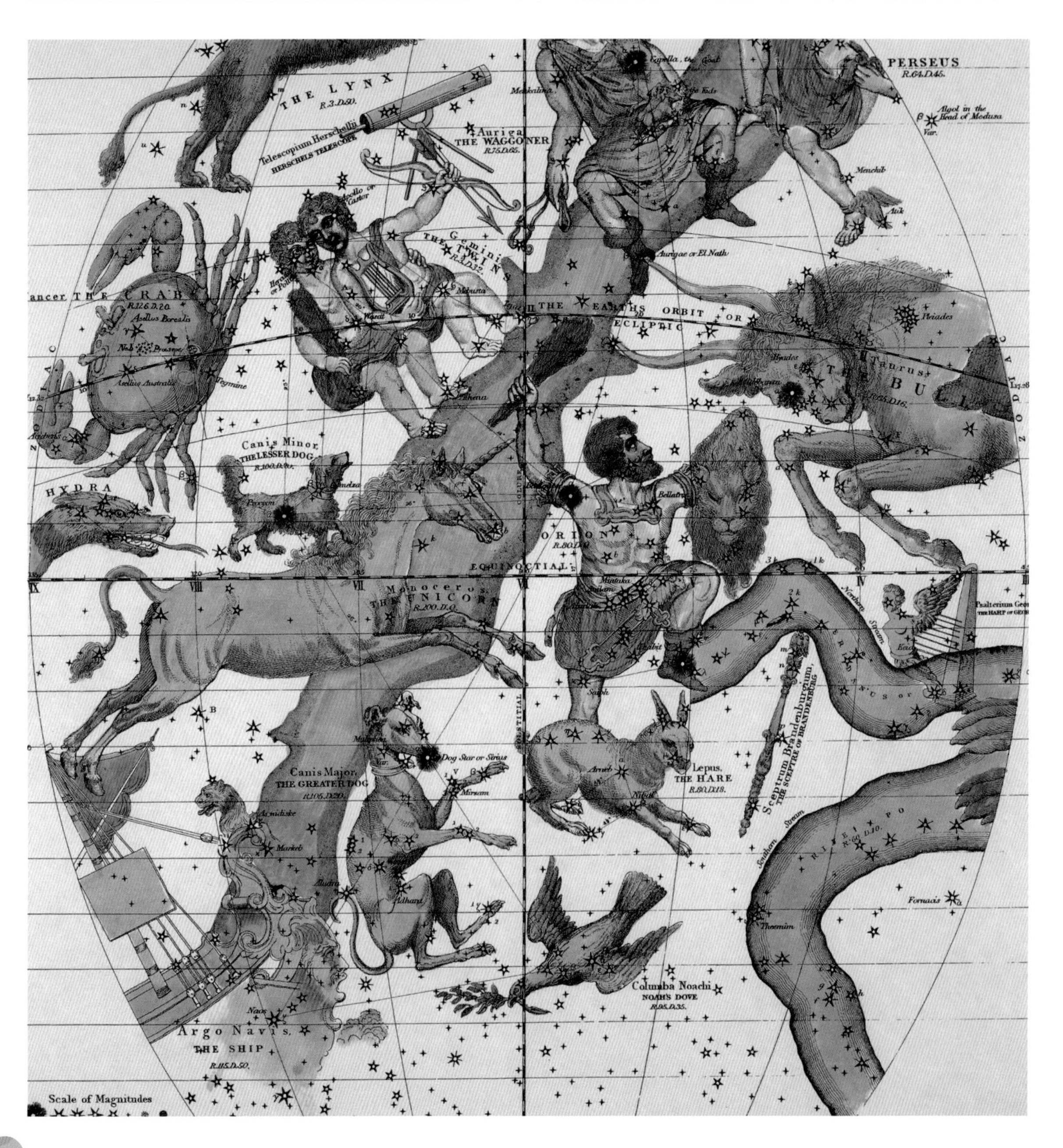

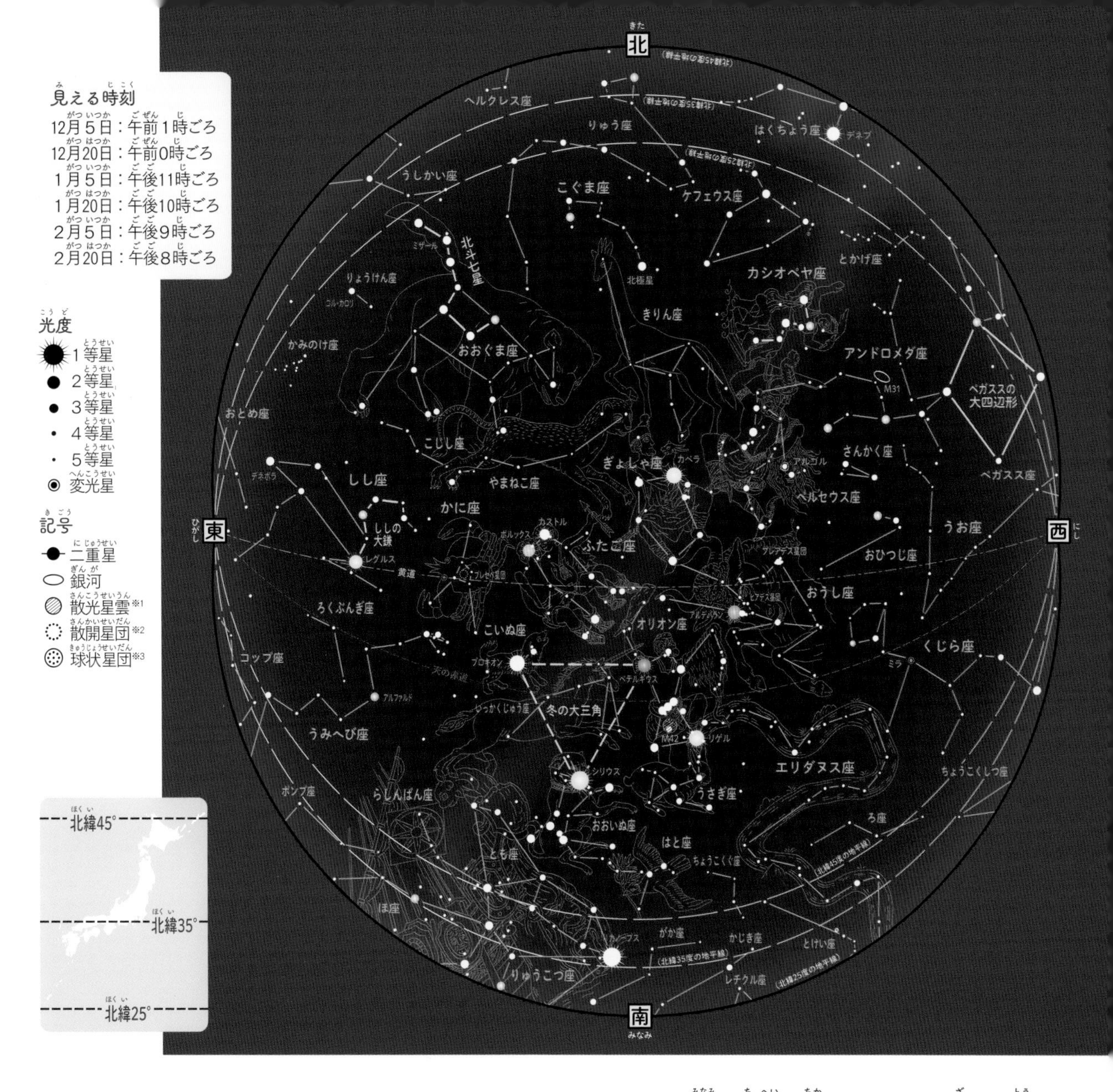

冬の星空

南北に長い日本列島では、星を見上げる場所（緯度）によって、南や北の地平線上の星空の見える範囲が少し違ってきます。上の星座図では、緯度別に見える範囲の違いを示しています。注目したいのは、南の地平に近いりゅうこつ座の1等星カノープスで、東北地方の中部より北では南の地平線上に昇らないので見ることができません。一方、沖縄のあたりまで南下すると、カノープスの高度は高く見やすくなります。地平に低い星ほど大気による減光の影響を受けるため、東京付近の緯度では、カノープスは赤みを帯びたやや暗めの星として見えます。

※1 電離ガスが自ら発光している星雲とガス中のチリが近くにある星の光を反射・散乱して光っている星雲。／
※2 数十から数百個の星が比較的ゆるく集合した星団。／※3 数十万個の星がほぼ球状に密集する星団。

カシオペヤ座
北斗七星
おおぐま座
きりん座
アンドロメダ座
やまねこ座
ペルセウス座
こじし座
カペラ
ふたご座
ぎょしゃ座
さんかく座
しし座
カストル
おうし座
おひつじ座
ポルックス
プレアデス星団
プレセペ
黄道
かに座
ヒアデス星団
オリオン座
アルデバラン
こいぬ座
プロキオン
ベテルギウス
天の赤道
うみへび座
くじら座
いっかくじゅう座
冬の大三角
M42
リゲル
シリウス
エリダヌス座
おおいぬ座
らしんばん座
うさぎ座
とも座
ろ座
はと座
ほ座
りゅうこつ座
ちょうこくぐ座
とけい座
カノープス
南

冬の星座(18ページ)

冬の宵のころ、南に向かって見上げたときの星空の様子です。冬は大気が澄んでいるうえ、明るい1等星がたくさん見えているので、市街地内でも星座ウォッチングを楽しめる季節です。南の地平線に近いりゅうこつ座の1等星カノープスは、大気の減光の影響を受けるため、多くの地方でこの図にあるほど明るくは見えません。

冬の星座を見上げよう

1等星を一度にたくさん見られる季節なので、まず明るい1等星たちを結びつけてみるのがよいでしょう。南の空を見上げてまず目につくのは「冬の大三角」で、ひと目でそれとわかります。もっと大きく6個の1等星を結びつける「冬の大六角形」は「冬のダイヤモンド」とも呼ばれ、冬の星座探しのよい目印になってくれます。

全天一明るく輝く恒星
おおいぬ座のシリウス

まぶしい！

真冬の宵のころ、南の空を見上げ、ギラギラといった印象で青白く輝くひときわ明るい星を見つけたら、それはおおいぬ座のシリウスと思って、まずまちがいはありません。

シリウスの明るさは－1.5等星で、星座を形づくる「恒星」の中では全天第一の明るさです。その素晴らしい輝きは都会の夜空でさえひと目でそれとわかるほどの見事さです。

「焼きこがすもの」シリウスの輝き

シリウスの名は、「焼きこがすもの」という意味のギリシャ語からきています。シリウスがあんなに明るく輝くのは、宇宙で一番明るい星だからというわけではなく、地球からわずか8.6光年という近さにあるためです。直径は太陽の1.7倍ほど、重さは太陽の2倍ほどあり、表面温度が1万400度の高温度の星というのがシリウスの実態です。

東から昇るおおいぬ座とこいぬ座

星座神話では、おおいぬ座とこいぬ座は、狩人オリオンの連れている2匹の猟犬とされることもあります。実際、オリオン座が日周運動で西へ西へと動くにつれ、大小2匹の猟犬もそれについていくように見えます。

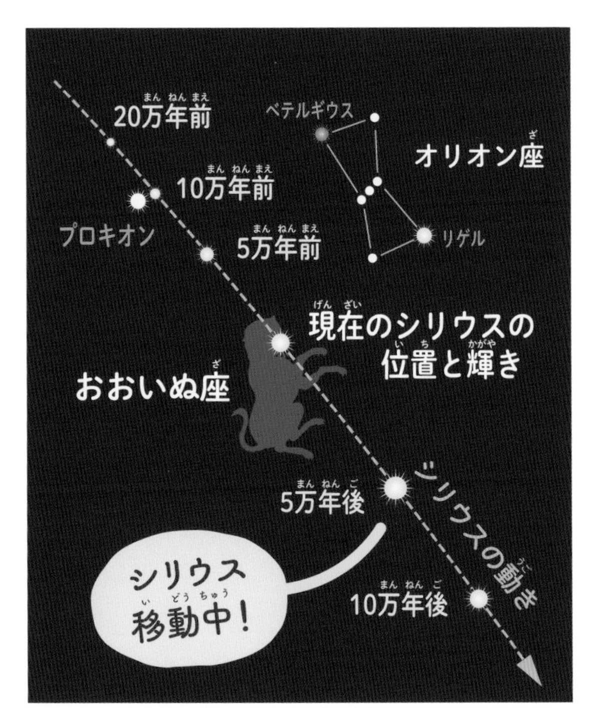

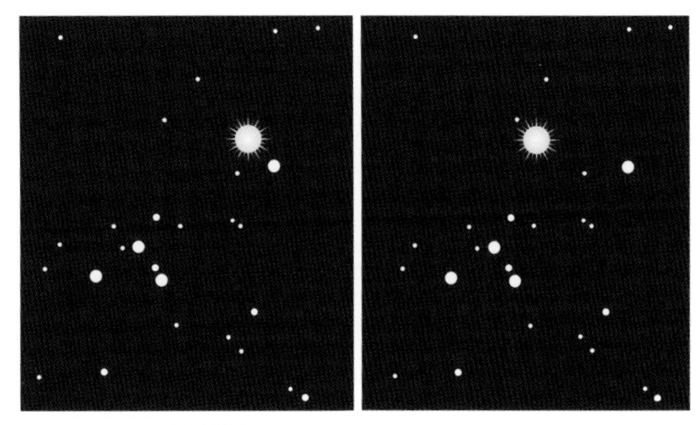

シリウスの立体視にチャレンジ！

左右の画面を遠くを見るようにして見つめ、立体視してみましょう。すると両方の画面が重なっておおいぬ座の立体的な画面が中央に見えてきます。地球に特に近い明るく大きなシリウスだけが大きく手前に浮かびあがって、シリウスの距離の近さが実感できることでしょう。

シリウスは移動中！

地球から近距離にあるシリウスの星空での見かけの動きは速く、現在の冬の星座の位置をそのままにしてシリウスを描くと、大きく移動していくのがわかります。約5万年後には、現在よりさらに明るく輝いて見えることでしょう。

昔は輝いていた シリウスの伴星B

シリウスを望遠鏡で見ると、8.5等の小さな白色矮星の伴星Bがそばにあるのがわかります。この伴星は、今でこそ地球なみの小さな星になり果てていますが、かつてはシリウス以上の明るさで輝いていた素晴らしい恒星だったと言われています。ただ、10ページで解説した図のように進化のスピードが速すぎて、たちまち年老いてしまい、小さいのにやたら高温で、白く輝く星の死骸のような星になったと言われています。

シリウスと伴星B

およそ50.1年の周期でめぐっており、現在はシリウスからかなり離れているため、望遠鏡の高倍率で見ると見やすくなっています。最も離れたのは2022年で角距離※は11″.3となります。なおBの表面温度は、なんと約2万5000度もあります。

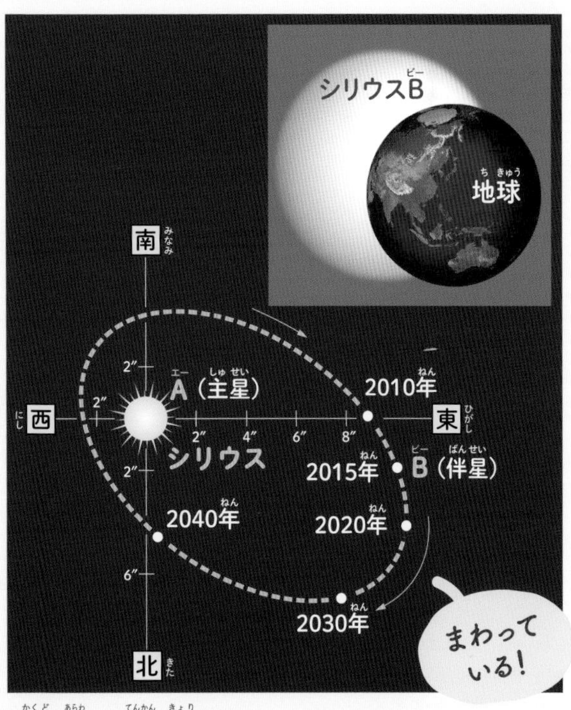

※角度で表した2点間の距離。

冬の大三角の一角に輝く こいぬ座のプロキオン

冬の宵のころ、南の空を見上げると、3個の明るい1等星が大きな逆正三角形を形づくるように並んでいるのが目にとまります。冬の星座探しのよい目印となることで知られているおなじみの「冬の大三角」です。3個のうち一番明るいのが、おおいぬ座の口もとで輝く全天一の輝星シリウスで、その左手上よりに輝くのが、こいぬ座のプロキオンです。この2つと右手側の赤みがかったオリオン座のベテルギウスを結びつければ、冬の大三角ができあがります。

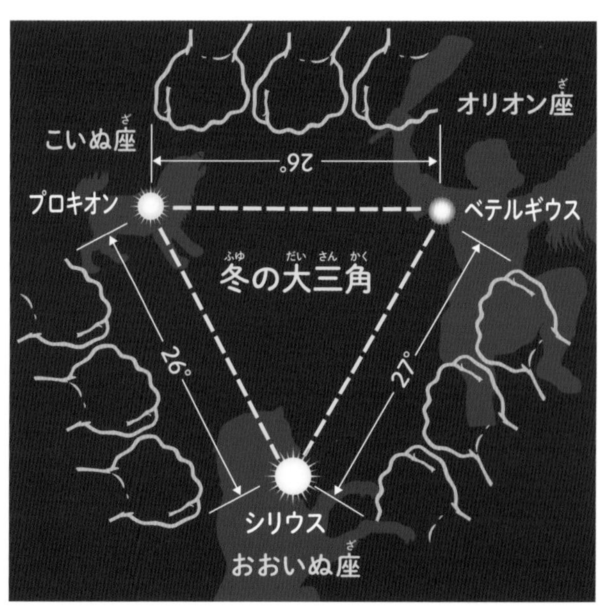

プロキオンは地球の近くで輝いている

地球からプロキオンの距離は11光年で、1等星の中ではおおいぬ座のシリウスに次いで私たちに近い星です。直径は太陽の2.1倍ほどで重さは1.8倍あります。表面温度は太陽よりいくぶん高めの6450度、明るさは太陽の明るさのおよそ6倍で輝いています。プロキオンから眺めると、太陽は2.4等の黄色みを帯びた星として見えるでしょう。

冬の大三角のスケールを実感しよう！

プロキオンは冬の星座探しの目印「冬の大三角」を形づくる、なくてはならない1等星ですが、その冬の大三角が実際の夜空でどれくらいの大きさで見えているかは、げんこつのスケールで測ってみるとよくわかります。自分の目の前に腕をいっぱいにつきのばして見ると、げんこつ1個分の幅がおよそ10°の角度になります（29ページ）。

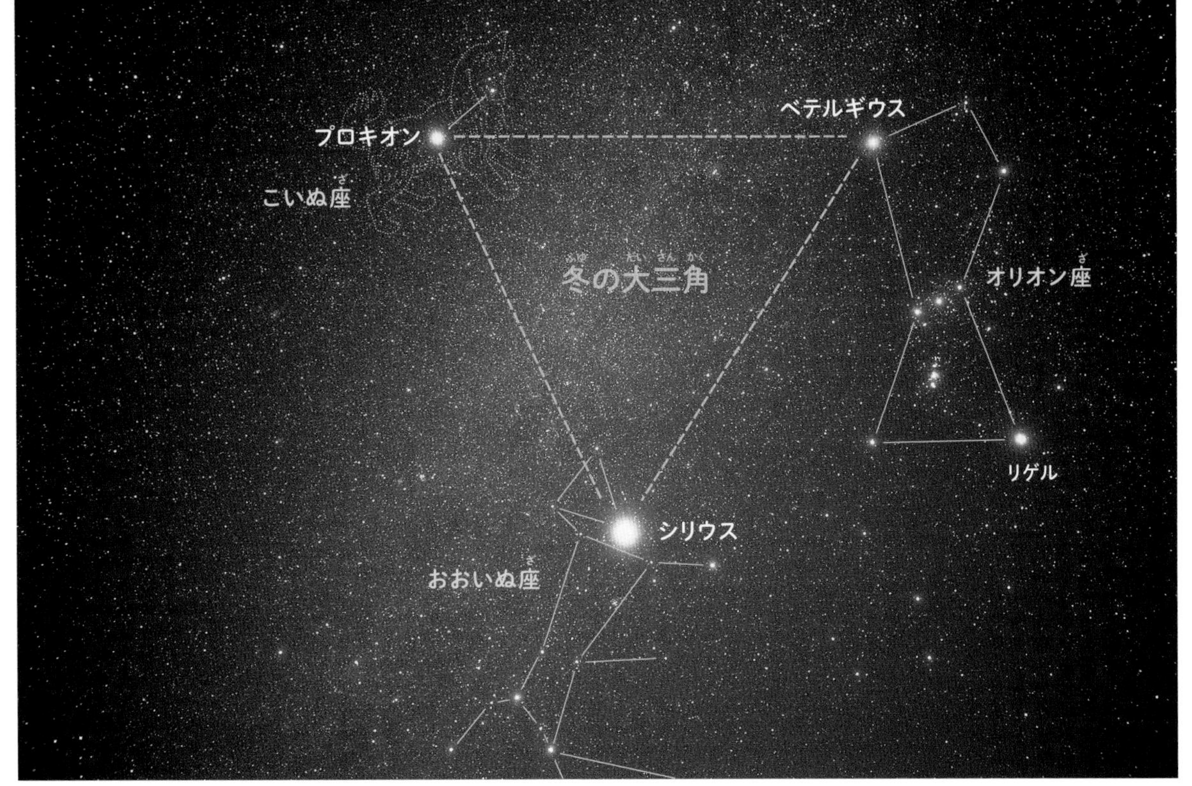

冬の大三角　夜空の暗い場所では、冬の淡い天の川の流れが、オリオン座の東側からおおいぬ座のシリウスの東よりをかすめて、清流のように静かに南の地平線へと流れ下っていくのが見られます。その冬の天の川の東岸に輝く明るい1等星が、こいぬ座のプロキオンです。プロキオンの名前の意味は「犬の先駆け」で、20ページのおおいぬ座のシリウスより早く東の空に昇るところからきています。シリウスが明け方の空に昇るのを見てナイル川の洪水の季節の到来を知った古代エジプト人にとって、プロキオンはシリウスが現れるのを事前に教えてくれる先ぶれの星として大切でした。

プロキオンにも伴星Bがいる！

プロキオンも、シリウスのように白色矮星の伴星Bを連れています（21ページ）。ただし、シリウスBよりずっと暗く10.3等星なので、小さな望遠鏡では高倍率にしても見るのは難しいでしょう。現在は0.4等のプロキオンから少しずつ離れているところで、2029年には角距離にして6″.6まで離れるため、いくらか見やすくなります。プロキオンのまわりを40.7年の周期でめぐるこの高温の小さな白色矮星は、シリウスの伴星Bと同じように、かつては主星Aのプロキオンより明るく輝いていたことでしょう。

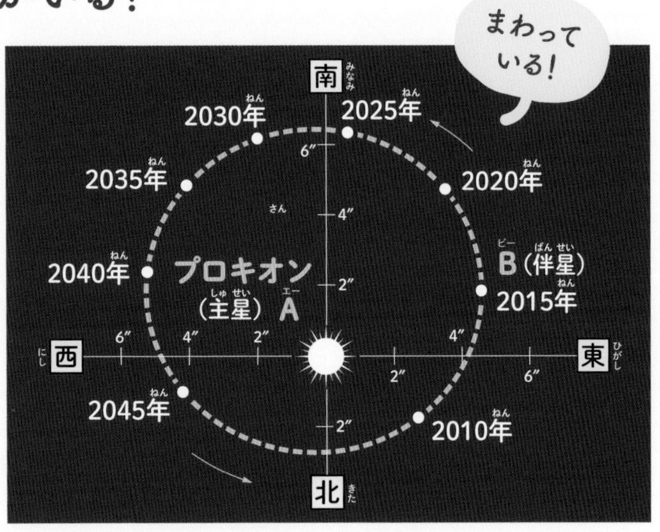

赤色超巨星
オリオン座のベテルギウス

真冬の宵のころ、南の空高くかかるオリオン座は、形のとてもわかりやすい美しい星座として人気が高いのですが、その狩人オリオンの右肩に輝く赤みを帯びた1等星がベテルギウスです。名前の意味は「巨人のわきの下」で、オリオン座のその名前どおりの位置に輝いています。

おうしに立ち向かうオリオンの古星座絵
巨人の狩人オリオンの姿を表したこの星座は、すぐ西側で角をふりかざすおうし座に立ち向かうような姿で描かれています。

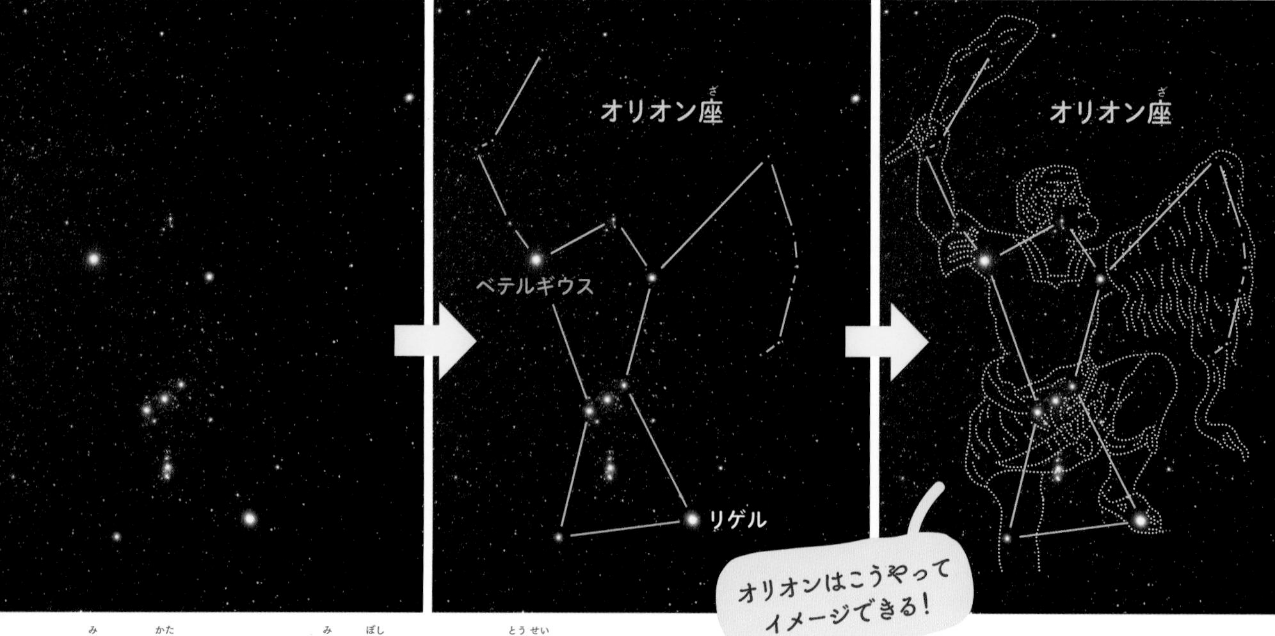

見つけ方のポイントは三つ星と2つの1等星

オリオン座は、全天でも一番明るく形の整ったわかりやすい星座として、最も人気の高い星座です。古代ギリシャの詩人ホメロスも「背の高い、この上なく美しい男の子」とたたえているほどです。実際の夜空でその姿を見つけられれば、たちまちその輝きの美しさにうっとりするでしょう。見つける目印は、中央にななめ1列に並んだ「三つ星」と、その左上に赤みを帯びて輝くベテルギウスと右下に白く輝くリゲルの2つの明るい1等星です。あとは淡い星を次々に結びつけ、星座の骨格をつかんだら、狩人オリオンの姿を肉づけしてイメージします。

おじいちゃんベテルギウスの輝き

オリオンがふりかざす棍棒を持った肩先に輝く1等星ベテルギウスが、あんなに赤みを帯びて見えるのは、その表面温度が低いためで、太陽の半分くらいの約3600度しかありません。しかも、年老いたベテルギウスは、ぶよぶよに大きくふくらんでいて、太陽の直径の700倍から1000倍の大きさまで不安定に、風船のようにふくらんだり縮んだりをくり返しています。このため、5年半くらいの周期で1等級くらい明るさを変える「半規則変光星」となっています。年によっていくらか暗めに見えたりすることがあるのは、そのためです。ベテルギウスの変光の様子をはっきり確かめるためには、13ページの星図にある、周辺の明るさを変えない星と見比べながら光度目測をしてみるとよいでしょう。なお、ベテルギウスのように巨大にふくらんだ星は、10ページにあるように「赤色超巨星」と呼ばれ、その一生の終わりが近づいた老人星というのがその正体です。

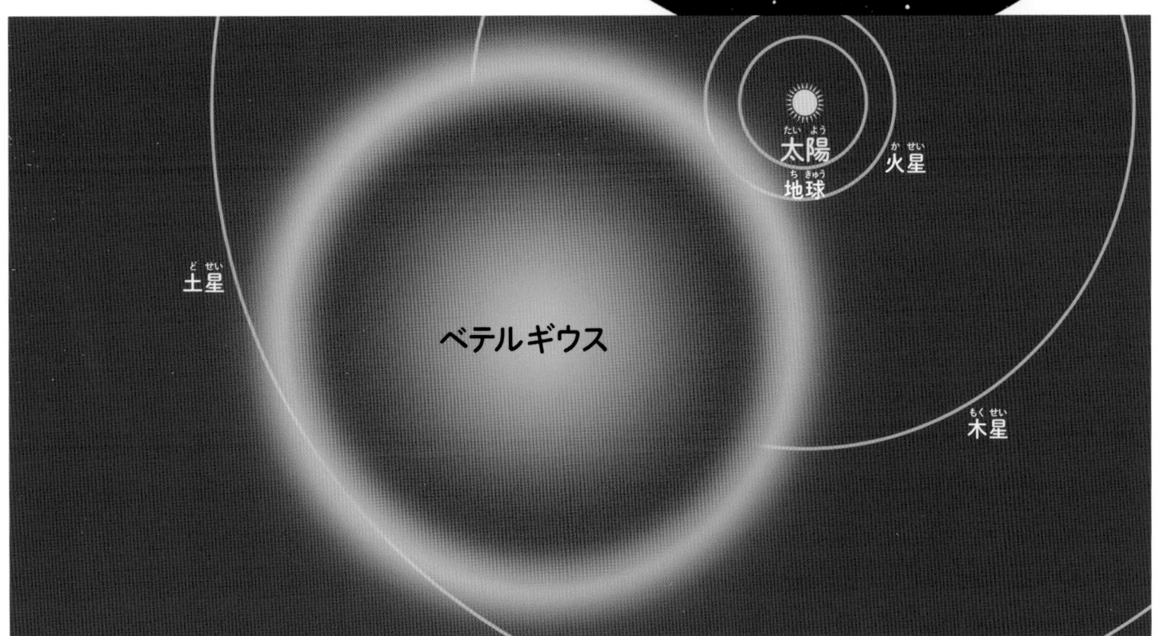

不安定なベテルギウスの大きさ

地球からの距離498光年のところにあるベテルギウスは、地球に最も近い赤色超巨星で、太陽の直径の700倍から1000倍の間で大きくふくらんだり、縮んだりしながら、エネルギーの放出量を変えています。また、11ページのH・R図に示されているように、太陽のような主系列星とはまったく異なる内部構造をしていて、30億度もある高温の中心核の外側をさまざまなタイプの「殻」が玉ねぎのような層となって取り巻き、さらにその外側は大きく広がる真空程度の稀薄な大気に包まれています。つまり、私たちは不安定なそのごくごく淡い大気の層を通して、ベテルギウスの内部の輝きを見ているのです。近くで見ると、ベテルギウスは、太陽のような縁のはっきりした星としては見えないでしょう。

ベテルギウスの不安定な表面

現在のベテルギウスには2つの白くて温度の非常に高い部分があり、不安定さがうかがえる状態です。

日本での呼び名は「源氏星」オリオン座のリゲル

真冬の南の空にかかるオリオン座は、ギリシャ神話に登場する巨人の狩人の姿を表した華やかな星座ですが、その狩人オリオンの足下に輝く青白色の１等星がリゲルです。リゲルとは「巨人の左足」という意味です。

青白色のリゲルの輝き

地球からの距離863光年のところに位置する、太陽の直径の70倍もある青白色の巨星がリゲルの正体で、表面温度は太陽の２倍の１万2000度もあります。太陽のざっと４万倍もの素晴らしい明るさで輝いているので、32.6光年（絶対等級）のところに持ってくると、－７等の三日月なみの明るさとなって見えます。ちなみにリゲルの距離から見た太陽は、11.9等星で大きな望遠鏡でも見にくいかすかな明るさです。なお、リゲルの自転の速さは秒速33km（地球の自転の速さは秒速460m）です。

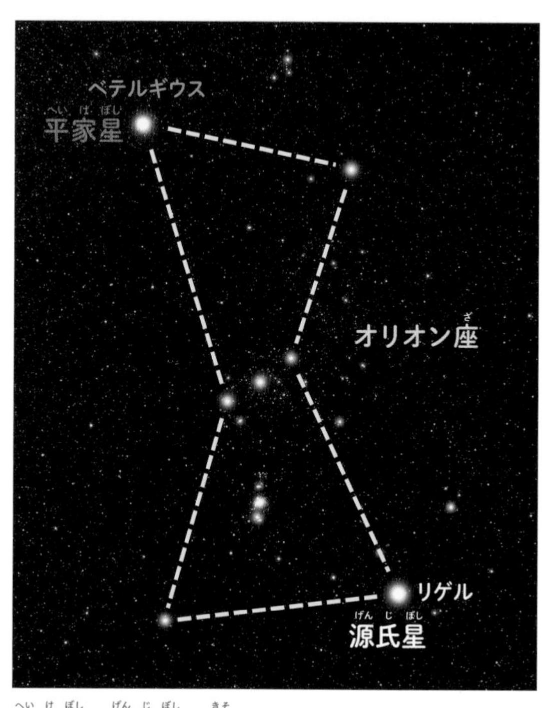

平家星と源氏星が競いあう

オリオン座の赤いベテルギウスと青白いリゲルの２つの明るい１等星の色あいの違いはとてもよく目につきます。昔、岐阜県の山あいの村では、この２つを源平合戦の平家の赤旗と源氏の白旗に見たて、赤いベテルギウスを「平家星」、白いリゲルを「源氏星」と呼んでいたと言われます。

二重星リゲル

望遠鏡で見ると、リゲルから9″.5のところに小さな6.8等星がくっついているのがわかります。

冬の大三角を撮ると色がわかる！

上はオリオン座のベテルギウスとおおいぬ座のシリウス、それにこいぬ座のプロキオンの3個の1等星でつくる「冬の大三角」の星ぼしの1時間の動きです。日周運動※で星ぼしが東（画面の左側）から西へ動いていくのがわかります。こうして日周運動の光跡をカメラで長時間露出して写すと、赤みがかったベテルギウスや青白っぽいリゲルの色あいの違いをはっきり写し出せます。オリオン座の三つ星あたりを天の赤道が通っているため、その付近の高さの星の光跡は直線状に写ります。

リゲルの大きさ比べ

オリオン座の赤い1等星ベテルギウスは、太陽の直径の700倍以上もある、表面温度が3600度と低い赤色超巨星ですが、白っぽいリゲルは表面温度の高い、太陽の直径の70倍の青白色の巨星です。リゲルは水素の燃料を大量に消費し、ムダ遣いして輝いているため、せいぜいあと1億年くらいで燃えつきてしまうだろうと見られています。つまり、リゲルは年齢の若い短命の星というわけです。

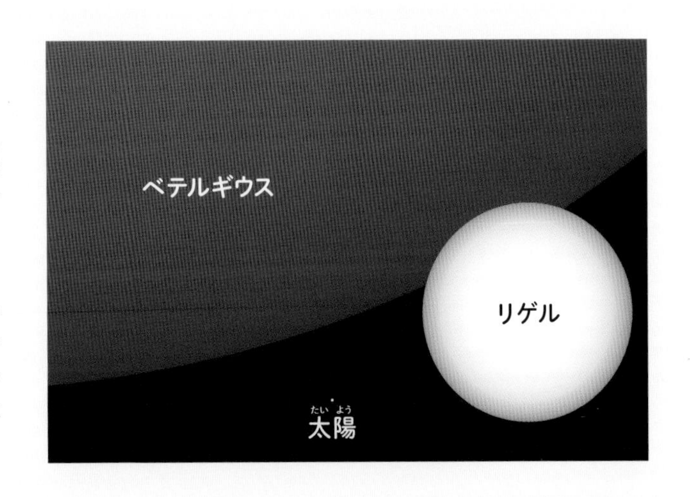

※地球が1日に1回、西から東に自転していることによって、天球が天の北極と南極を結ぶ軸を中心に、東から西に、ほぼ1日に1回転するように見える現象。

ヒアデス星団の中で輝く おうし座のアルデバラン

真冬の日暮れのころ、頭の真上を見上げると2つの星の群れが目にとまります。小さくまとまっているのが「すばる」の呼び名でおなじみのプレアデス星団で、赤く輝く1等星アルデバランを含むまばらなV字形の星の集まりがヒアデス星団です。ヒアデス星団は、おうし座の顔の部分を形づくる星の群れで、アルデバランはその牡牛の赤い眼の位置に輝いている星です。若い星の集団である散開星団の星ぼしと重なって見えている1等星は、このアルデバランの他にはありません。

ふくらんだ赤い巨星アルデバランの輝き

アルデバランの正確な明るさは0.9等星で、全天に21個ある1等星の中では13番目の明るさです。地球からの距離は67光年と近い星です。太陽の直径の44倍にも大きくふくらんだ赤色巨星というのがその実態で、表面温度が太陽のおよそ半分の3000度と低いため、あんなに赤みを帯びた輝きとなって見えているのです。

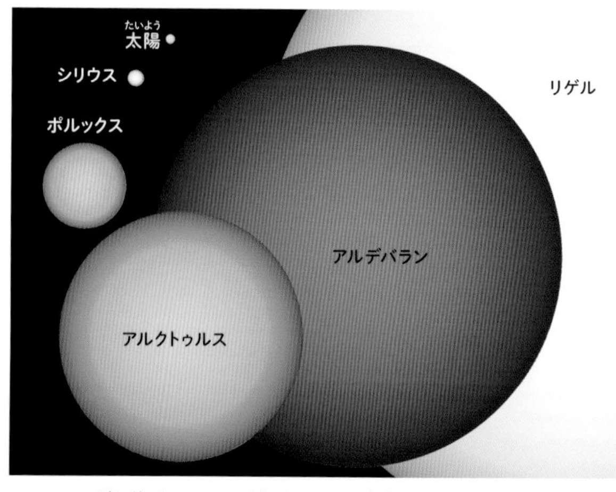

アルデバランの大きさ比べ

太陽の直径の44倍の大きさのあるアルデバランは、赤色巨星となった老人星です。現在の明るさは太陽のおよそ430倍の輝きを放ち、距離67光年のところで、私たちには0.9等星として見えています。秒速42kmで移動しているため、今から約32万年前にはわずか21.5光年のところを通過し、カシオペヤ座の近くに−1.5等星の明るい星として見えていたと言います。

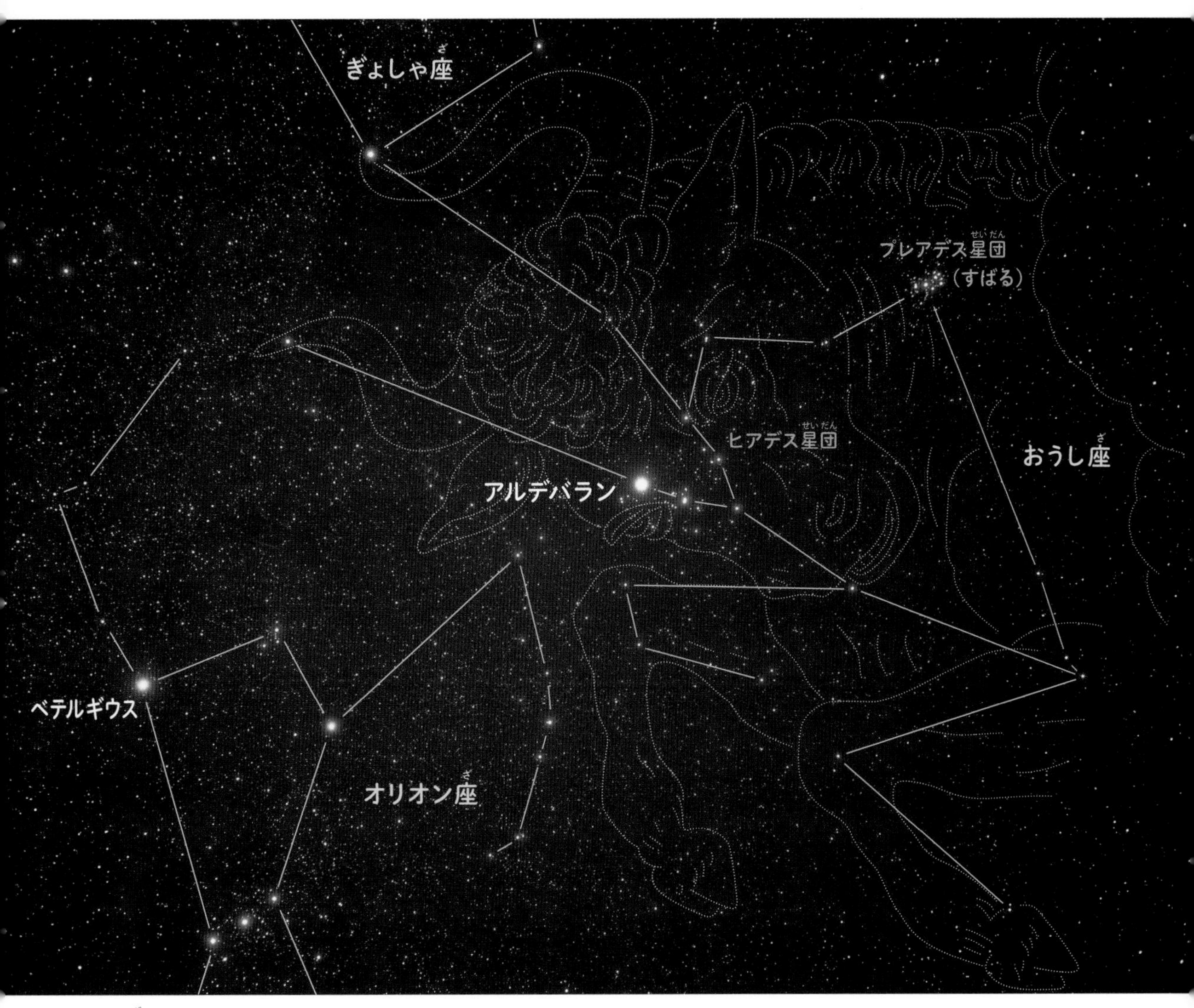

おうし座

おうし座の顔にあたるヒアデス星団の中に輝く、赤い1等星アルデバランの呼び名の意味は、アラビア語の「あとに続くもの」です。これはプレアデス星団に続いて東の空に昇ってくるところから名づけられました。日本でも東北地方では、「すばるのあと星」と呼ばれていました。

げんこつのスケールを使おう！

1等星が実際の夜空でどれくらいの大きさで見えているかを知る一番簡単な方法は、目の前に腕をいっぱいにのばし、自分の目から見たげんこつの幅が、およそ10°の角度になると見当づけるやり方です。自分のげんこつを分度器がわりに使うわけです。22ページを見ながら、実際にやってみましょう。

仲よし双子の兄弟のひたいに輝く ふたご座のポルックス

冬の宵のころ、頭の真上あたりを見上げると、明るい2つの星が仲よく並んで輝いているのが目にとまります。ふたご座のカストルとポルックスです。双子の兄弟のうち弟のポルックスの方がやや明るめですが、よく似た明るさなので、双子のイメージはすぐ思い浮かべられることでしょう。

一緒に星になったふたご座の古星座絵

兄のカストルが死んだとき、不死身の弟ポルックスは「私の不死身をといて、カストルと一緒にいられるようにしてください」と大神ゼウスに願い出ました。ゼウスはその友愛に深く心を打たれ、2つの星を友愛の印として星空に輝かせたと言われています。

カストル

ポルックス

ふたご座

見つけ方のポイントは並んだ2つの星

見つけるポイントは、カストルとポルックスのよく似た明るさの星2つが並んでいるところです。仲よし双子の兄弟のひたいにともに輝いているので、明るい2つの星だけでも「ふたご座」のイメージを思い浮かべることができます。さらに、2列に平行に並ぶ淡い星列を結びつけていくと、兄弟の身体の部分ができあがり、双子の兄弟の姿がよりはっきり見えてくるでしょう。

1等星になれなかった、兄カストルの輝き

双子の兄弟星のうちカストルの光度は1.6等星で、ほんのわずかの差で1等星のリストには含まれていません。しかし、ポルックスと並んで輝く様子はとてもよく目につくため、この本では1等星に含めて紹介してあります。距離51光年のところにあるカストルは、肉眼では1個の星のように見えますが、実は1.9等星と2.9等星の2つの星がぴったりとよりそう二重星というのがその正体で、その様子は小望遠鏡でも高倍率で見るとよくわかります。

兄は白く輝く

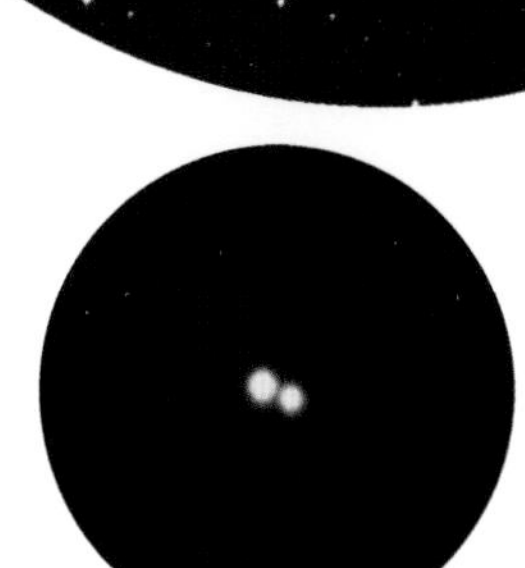

小望遠鏡で見たカストル

明るい2つの星のペアは高倍率で見られます。

より明るめ、弟ポルックスの輝き

カストルより少し明るめに見える1.1等星のポルックスは、地球からの距離34光年のところにあって、カストルより私たちに近い星です。つまり、ふたご座の仲よし兄弟星はたまたま同じ方向に見えているだけというのが、本当のところなのです。ポルックスが、いくぶんオレンジ色がかって見えるのは、表面温度が4400度と太陽より低いためです。ただ、自転のスピードは太陽の秒速2kmより速めの、秒速17kmとなっています。

ポルックスの大きさ比べ

オレンジ色がかって見えるポルックスは、初老期にさしかかった星で、その直径は太陽の9倍ほどあります。おうし座の赤い1等星アルデバランの太陽の直径の44倍に比べると小さめですが、やがて赤色巨星への道のりをたどることになります。なお、ポルックスから見ると、太陽は4.9等の平凡な黄色みがかった星として見えます。

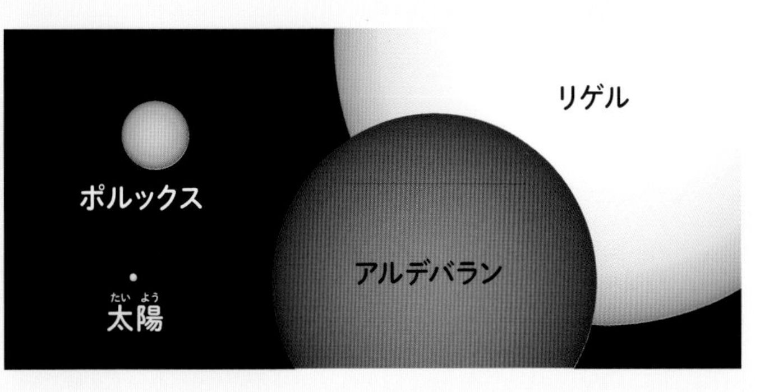

最も北よりの空で輝く１等星 ぎょしゃ座のカペラ

ぎょしゃ座は、明るい１等星カペラを含む将棋のコマのような五角形の星が並ぶとてもわかりやすい星座です。この五角形は山羊の親子を抱く老人の姿を表しており、カペラは１等星の中で最も北よりに位置しているため、日本から見えている期間のとても長い１等星となっています。

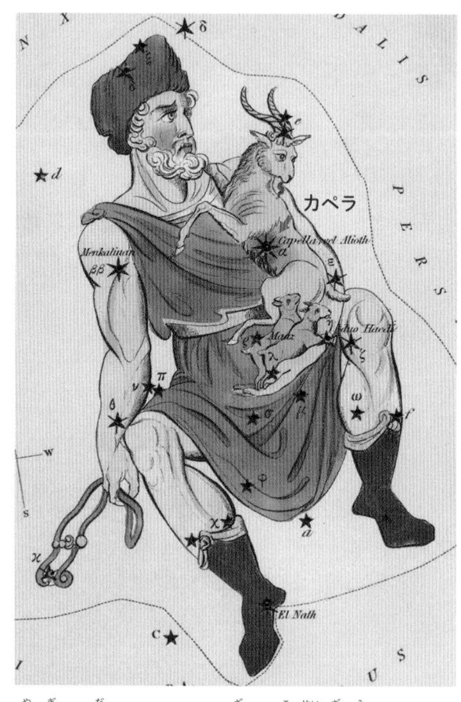

山羊を抱くぎょしゃ座の古星座絵

カペラの名前の意味は「小さな牝山羊」です。

連星カペラの輝き

距離43光年のところにある黄色みがかった0.1等星ですが、ただ1個の星というわけではなく、0.9等と1.0等の星がめぐりあう「連星」というのが実態です。2つとも太陽の直径の14倍と9倍もある巨星で、ともに初老期の段階にさしかかった星どうしです。

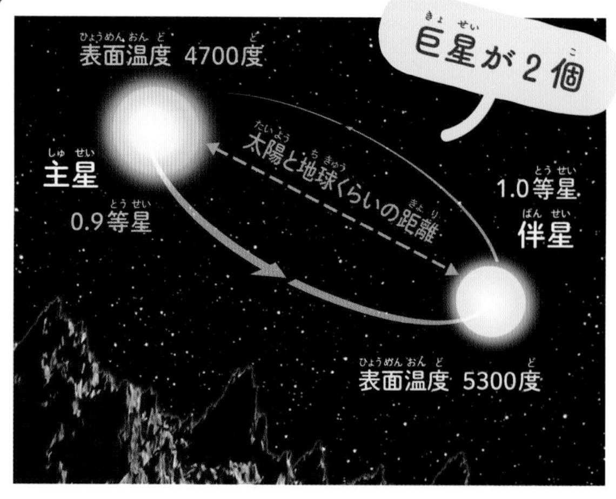

連星カペラの眺め（想像図）

太陽の表面温度より少し低めの２つの似たような巨星どうしが、わずか104日の周期でぐるぐるめぐりあう様子です。近くでこんな光景を目にしたら圧倒されることでしょう！

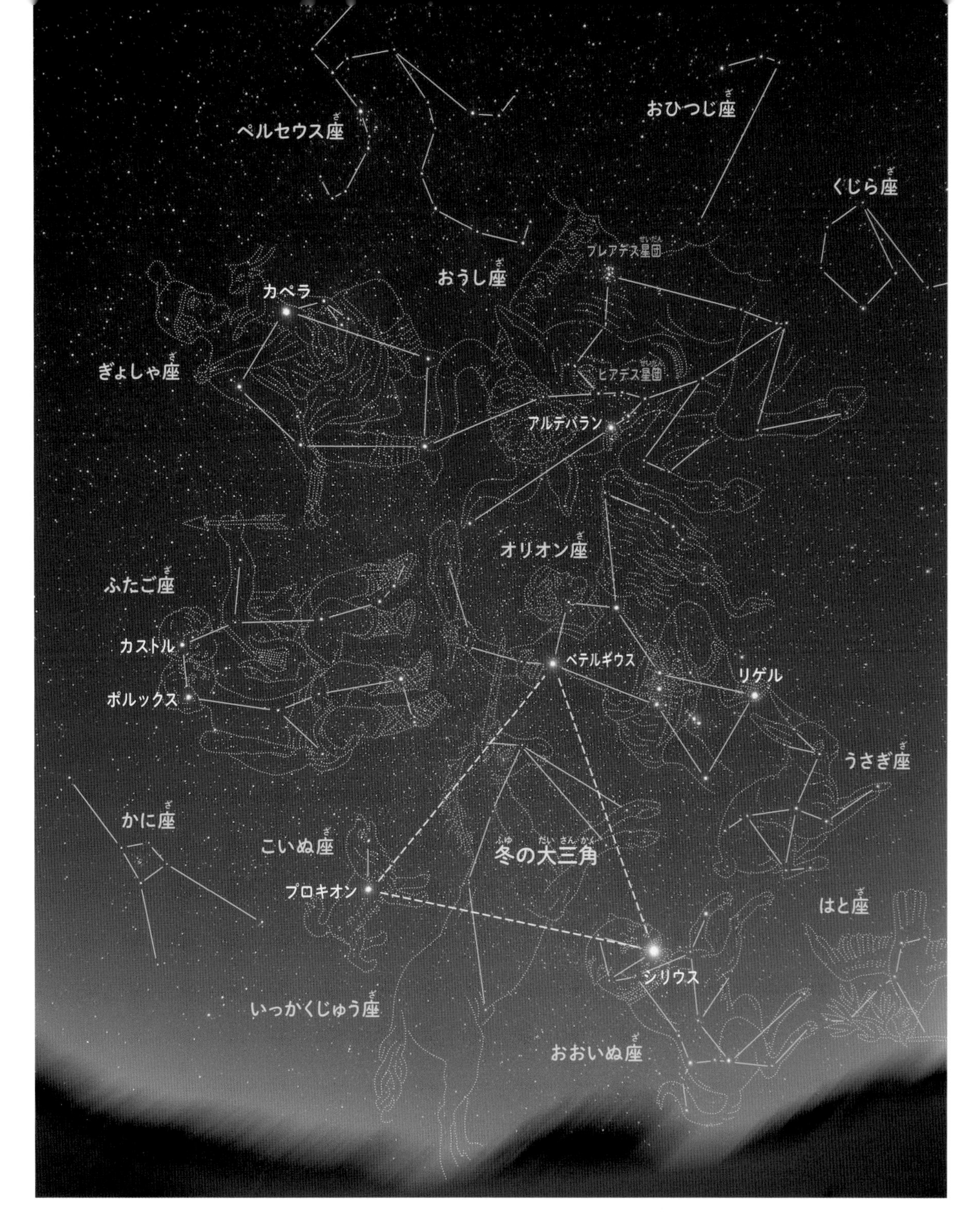

東から昇る
きらびやかな冬の星座

一年中で最も豪華な輝きを見せてくれる冬の星座と1等星たちが、東の空からいっせいに姿を見せたところです。1等星として一番北よりに位置するぎょしゃ座のカペラは、冬の星の中では最初に姿を見せ、最後まで居残って見えています。それどころか、北海道の北よりのあたりでは、一年中地平下に沈まず見られる周極星となります。

3章 春の1等星を見上げよう！

春の1等星

桜前線の北上も急ピッチ。花便りを耳に星空もまた心なしか春霞にうるんだような輝きに見えます。心地よい春の夜風の中で楽しめる星空です。

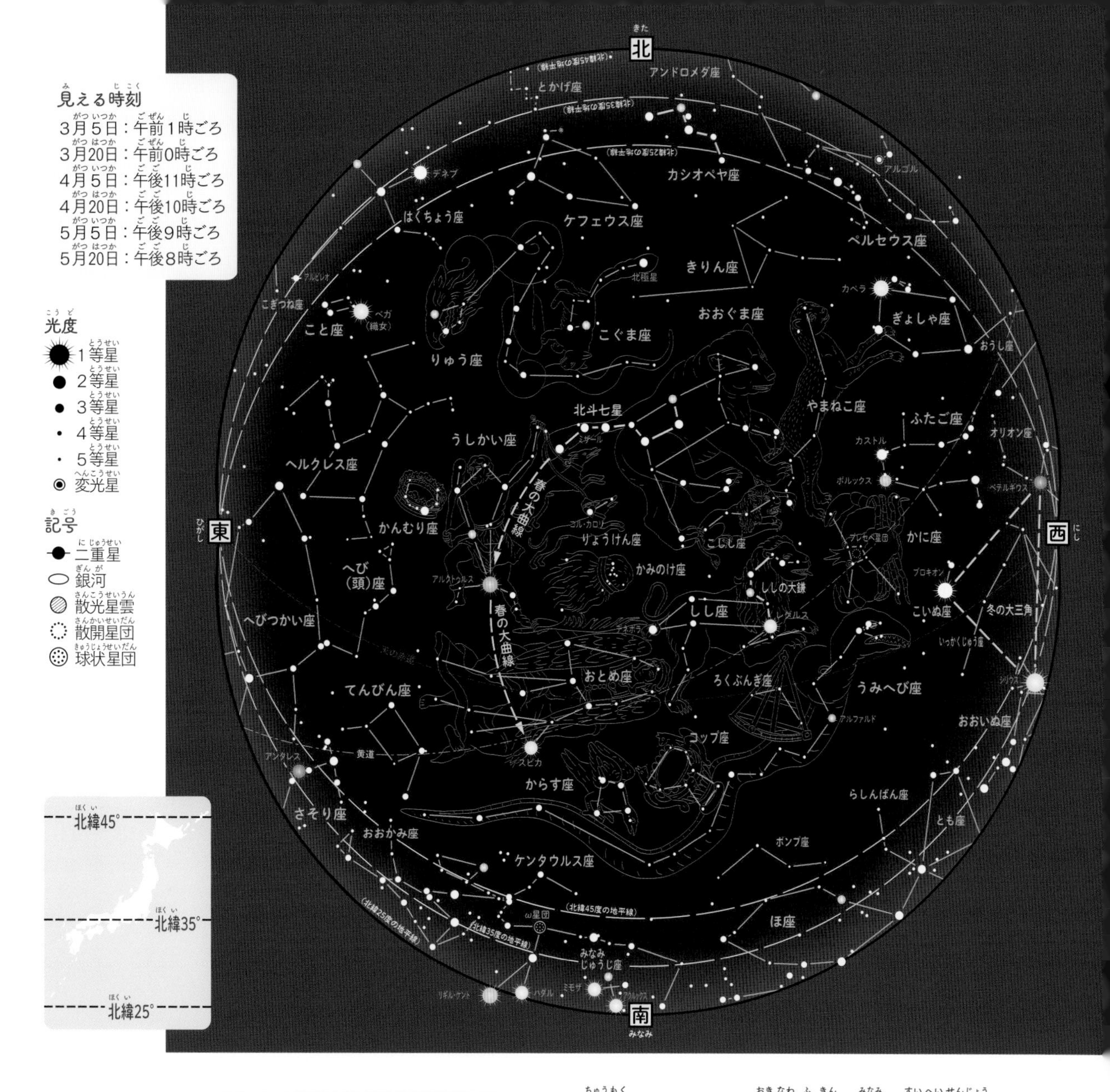

春の星空

南北に長い日本列島では、星を見上げる場所（緯度）によって、南や北の地平線上の星空の見える範囲が少し違ってきます。上の星座図では緯度別に見える範囲の違いを示してありますが、特に注目したいのは、沖縄付近の南の水平線上あたりに姿を現す1等星たちです。有名な南十字星のα星やβ星、ケンタウルス座のα星やβ星を見ることができるようになるため、本州のあたりに比べて見ることのできる1等星の数が一気に増えるからです。沖縄付近へ旅行するチャンスがあったら、春の宵の水平線上の1等星たちに注目してみてください。

こぐま座
おおぐま座
りゅう座
ヘルクレス座
北斗七星
やまねこ座
うしかい座
かんむり座
春の大曲線
りょうけん座
コル・カロリ
かに座
こじし座
かみのけ座
アークトゥルス
ししの大鎌
黄道
しし座
春の大曲線
天の赤道
おとめ座
ろくぶんぎ座
アルファルド
コップ座
スピカ
からす座
てんびん座
うみへび座
らしんばん座
ポンプ座
おおかみ座
ケンタウルス座
ほ座
ω星団
南

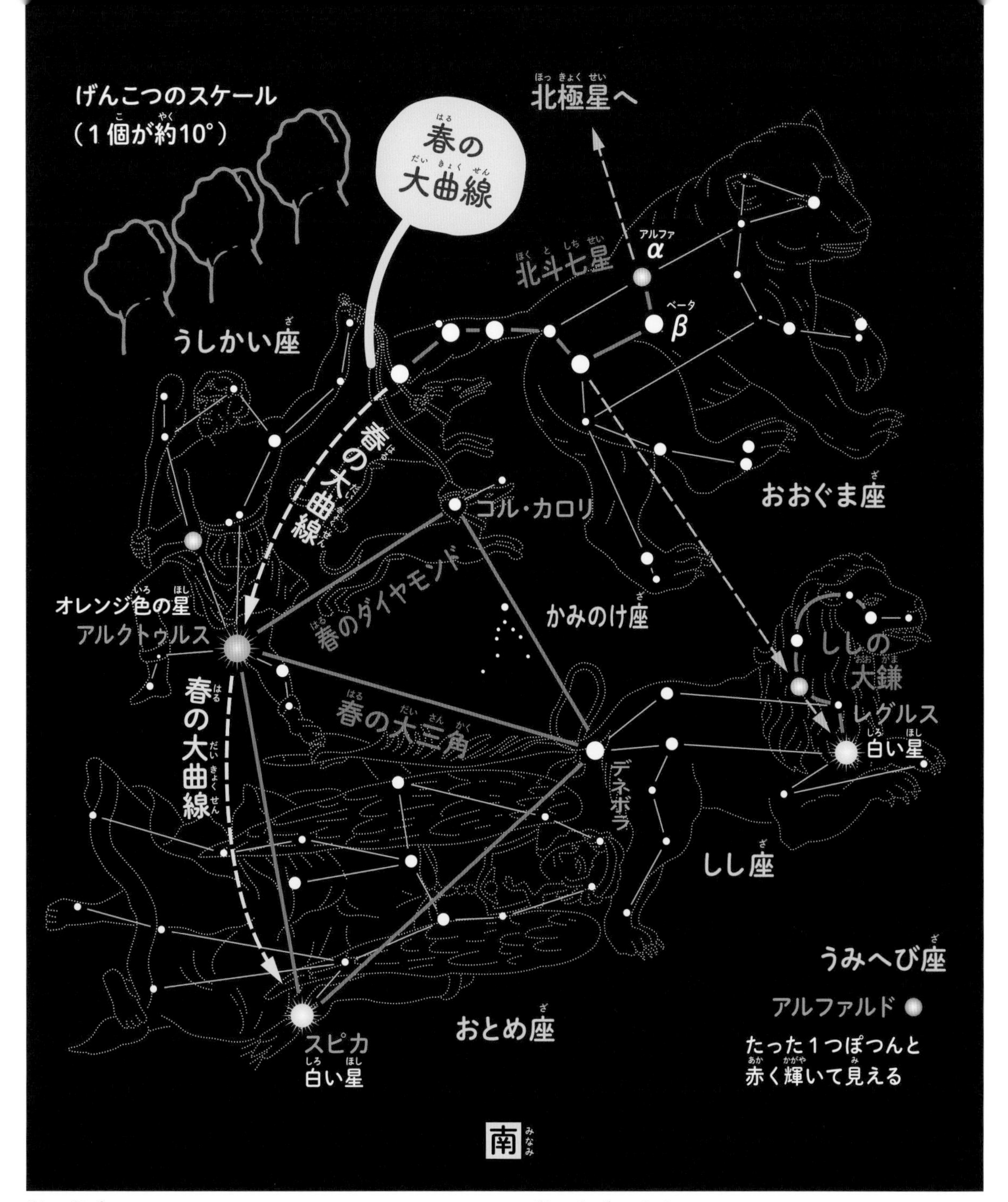

春の星座（36ページ）

春の宵のころ、南に向かって見上げたときの星空の様子です。春は、星空が少しかすんだように見えるので、夜空がネオンや外灯で明るい市街地では、淡い星が見えにくいようなこともあります。しかし、頭上に見える北斗七星からアルクトゥルスを経てスピカに届く「春の大曲線」は、はっきりわかるので、まずこのカーブをたどってみてください。

春の星座を見上げよう

北の空高く昇った北斗七星は、中央の星が3等とやや暗めですが、あとは2等星ばかりで明るいので、すぐに見つけられるでしょう。その北斗七星の弓なりにそりかえったひしゃくの柄のカーブを延長して、まず「春の大曲線」をたどると、春の星座たちが見つけやすくなります。しし座の1等星レグルスの白い輝きも、とてもよく目につきます。

猛スピードで移動中
うしかい座のアルクトゥルス

春から初夏にかけての宵のころ、北の空高く昇った北斗七星のひしゃくの柄のようなカーブをそのまま頭上に延長していくと、オレンジ色のうしかい座の1等星アルクトゥルスを通って、南の空で白く輝くおとめ座の1等星スピカに届く、大きな美しいカーブが描けます。春の星座探しの目印としておなじみの「春の大曲線」で、アルクトゥルスとスピカの2つの1等星は一対の星として日本では昔から「春の夫婦星」とも呼ばれ親しまれていました。

オレンジ色に輝く

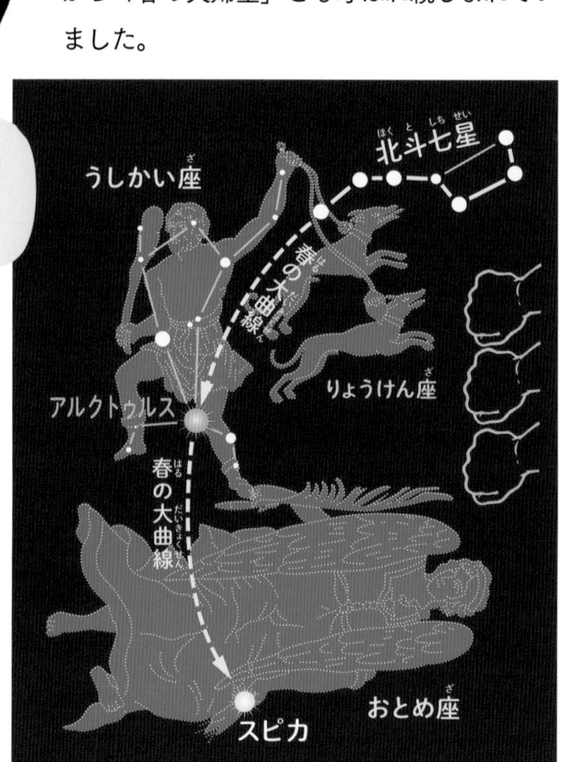

オレンジ色のアルクトゥルスの輝き

日本の農村では、麦刈りが始まるころ、宵の頭上に空高く見えることから、アルクトゥルスを「麦星」とか「麦刈り星」などとも呼んでいました。そのオレンジ色の輝きが麦の熟れた穂先を連想させるからですが、あのオレンジ色の輝きは、表面温度が太陽の6000度よりずっと低めの4200度しかないことによるものです。なお、アルクトゥルスの明るさは0.0等星ですが、距離37光年のところにあるこの星から太陽を眺めると小さな5等星としてしか見えません。

春の大曲線上のアルクトゥルス

アルクトゥルスは、ちょっと発音のしにくい名前ですが、その意味は「熊の番人」というギリシャ語に由来しています。実際、アルクトゥルスの輝くうしかい座は、2匹の猟犬を引き連れて、北よりの北斗七星の熊を追いかけているように日周運動で動いていくので、その名になっとくできることでしょう。

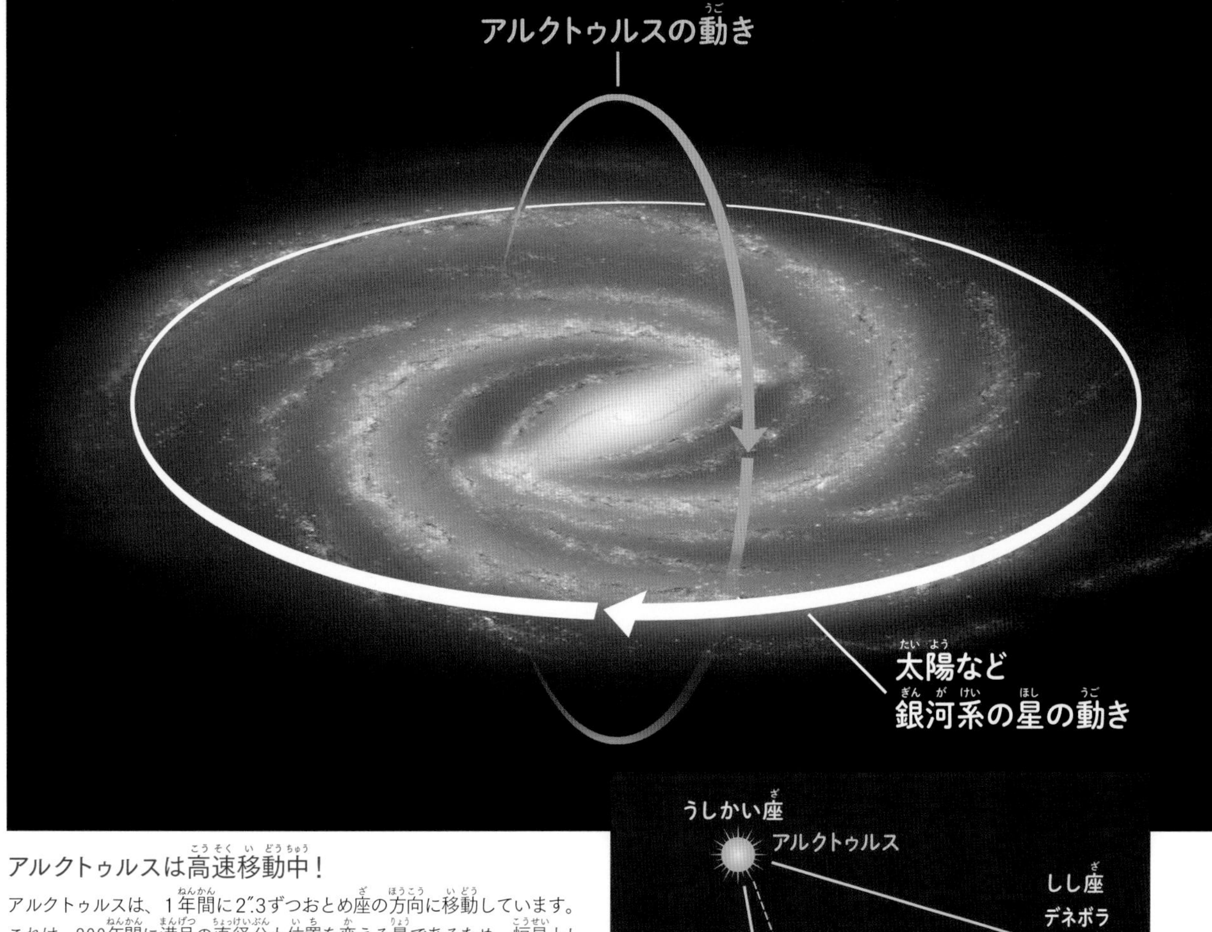

アルクトゥルスは高速移動中！

アルクトゥルスは、1年間に2″.3ずつおとめ座の方向に移動しています。これは、800年間に満月の直径分も位置を変える量であるため、恒星としては異例の速さと言えます。実際の空間でもアルクトゥルスは、太陽に対して秒速140kmの猛スピードで動いている「高速度星」なのです。太陽周辺の恒星たちが秒速20kmくらいなので、たしかに大きな動きと言えるでしょう。このため、約6万年後には、アルクトゥルスとスピカは、右の図のように並んで輝き、本当に「夫婦星」のように見えることになります。実は、アルクトゥルスの動きが奇妙なのは、かつて天の川銀河「銀河系」に衝突してきた小型の矮小銀河の恒星たちの仲間の1つだからなのです。太陽のような銀河系の星たちとは出身の異なる星らしいのです。

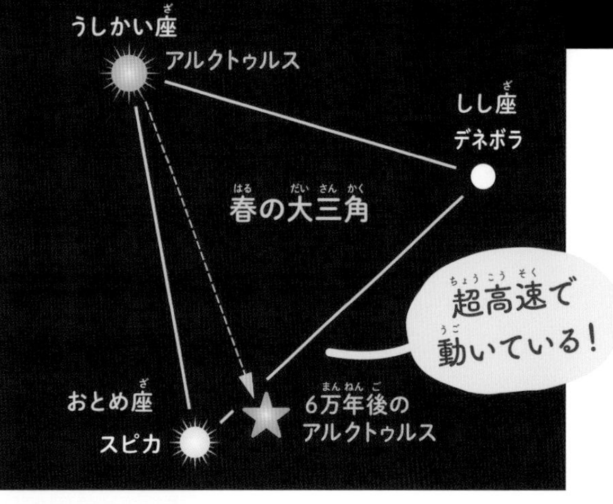

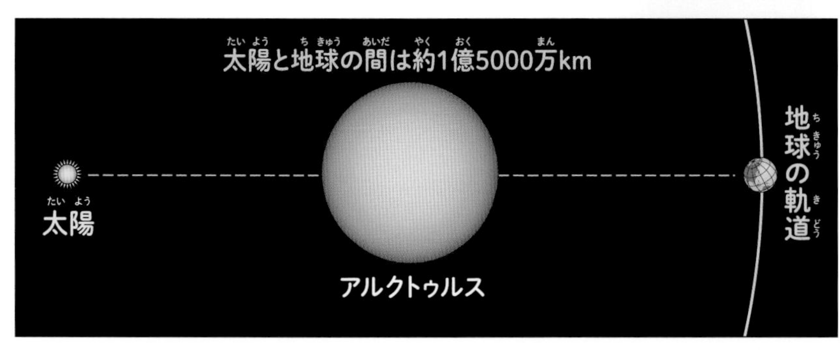

アルクトゥルスの大きさ比べ

かつて銀河系にのみこまれてしまった矮小銀河出身のアルクトゥルスは、重元素※の少ない古い星と見られています。直径は太陽の27倍ほどで、太陽の200倍もの明るさで輝いています。

※天文学では一般にヘリウムより重い（原子番号が大きい）元素のこと。

春の宵の南の空で輝く真珠星
おとめ座のスピカ

36ページにある「春の大曲線」をたどると、おとめ座の白色の１等星スピカをすぐに見つけることができます。その白い清らかな輝きの印象から、福井県のあたりでは、スピカを「真珠星」と呼んで親しんでいたと言います。一方、スピカの名前の意味は、スポーツの靴の底のスパイクと同じで「とがったもの」とか「とげとげしたもの」を表し、豊作の農業の女神が手に持つ、麦の穂先で輝いています。

近接連星スピカの輝き

地球からの距離250光年のところにあるスピカは、春の夫婦星の1つ、うしかい座のアルクトゥルスより7倍も遠いというのに、アルクトゥルスと同じ1等星に見えるというのですから、実はどんなに明るいのかが想像できるでしょう。ただし、次のページにあるように、スピカは単独の星というわけではなく、2つの星がめぐりあう「近接連星」というのがその正体です。

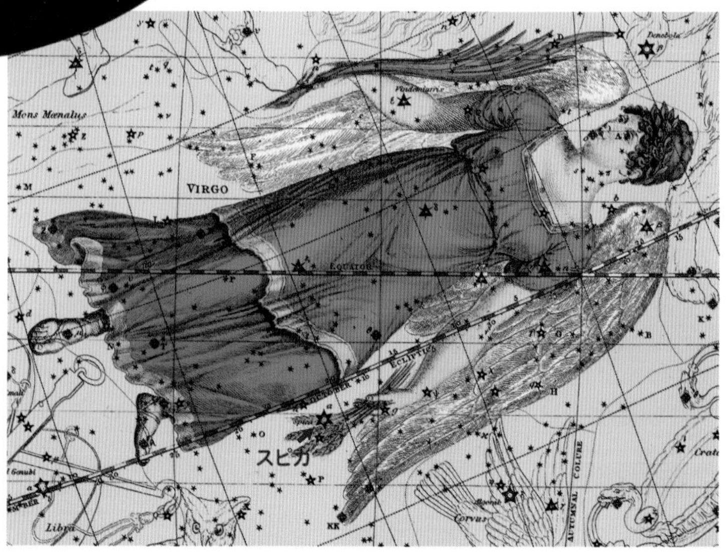

農業の女神のおとめ座の古星座絵

おとめ座は、全天で2番目という大きな星座ですが、白色の1等星スピカの他に目を引く明るい星はなく、春の宵の南の空に横たわる農業の女神の姿を見つけ出すのは、少々やっかいです。

近接連星のすごい世界（想像図）

スピカは白色に輝く1つの星のように見えますが、実際は太陽の直径の5倍と2.5倍の2つの高温度の星が、わずか4日の周期でぐるぐるめぐりあう猛烈な近接連星です（右）。ともに表面温度が2万度に近い灼熱の星どうしというのですから大変なものです。そんなものすごい世界を想像してみてください（上）。

スピカが月に隠されちゃう

おとめ座は、8月21日から9月20日生まれ※の人の誕生星座で、黄道12 星座中、6番目の黄道星座として昔から重要視されてきました。1等星スピカは、太陽の通り道「黄道」に近く、秋分の日すぎの秋の太陽は、スピカと並んで秋のやわらかい日差しを投げかけてくれます。また、スピカの近くには、しばしば明るい惑星や月がやってきて並び、まれに右の写真のようにスピカ（矢印）が月に隠されることもあります。

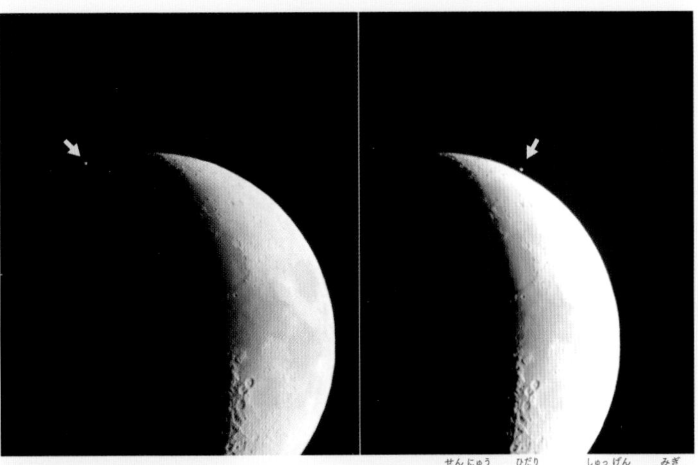

スピカの潜入（左）と出現（右）

※15ページのように、この黄道12星座と星占い（12宮）は関係がありません

ししの大鎌に輝く白色の１等星
しし座のレグルス

春の宵のころ、頭上にかかるしし座は、とても形が整っていてライオンの姿がイメージしやすいので人気のある星座となっています。目印は、獅子の心臓の位置に輝く白色の１等星レグルスですが、このレグルスからは、「？」マークを裏返しにしたように星が並ぶ「ししの大鎌」をたどることができます。しし座の頭部を形づくる西洋の草刈り鎌のような星の並びも、しし座の姿を見つけるよい目印となってくれます。

熱い星、レグルスの輝き

距離79光年のところにある表面温度が１万3000度の高温星です。太陽の直径の４倍ほどの大きさがありますが、高速で自転しているため、右の図のように平べったい星となっています。８等の小さな白色矮星の伴星が、太陽と水星の間くらい離れたところを、40日の周期でめぐるのがわかる実視連星ですが、主星と伴星ともに、年齢は500万歳くらいのごく若い星と見られています。

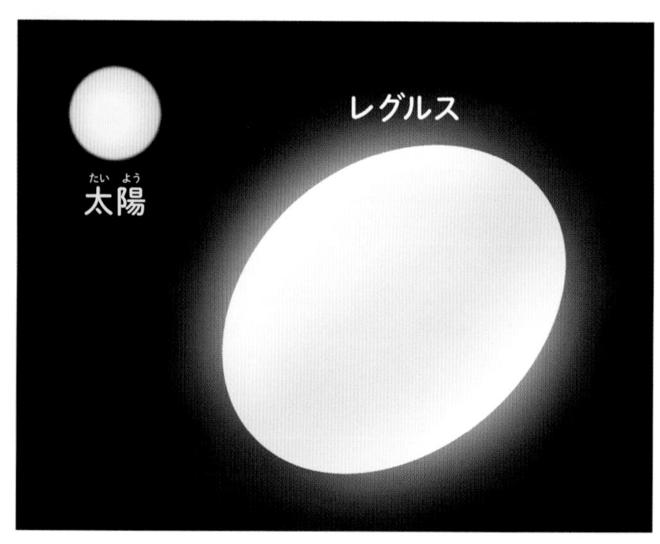

猛スピードで自転中のレグルス

太陽の自転周期は、およそ秒速２kmで26日ですが、レグルスは秒速315kmの猛スピードで自転しているため、わずか16時間ほどで１回転します。このため、赤道のあたりが極付近より32％もひしゃげた形となっています。

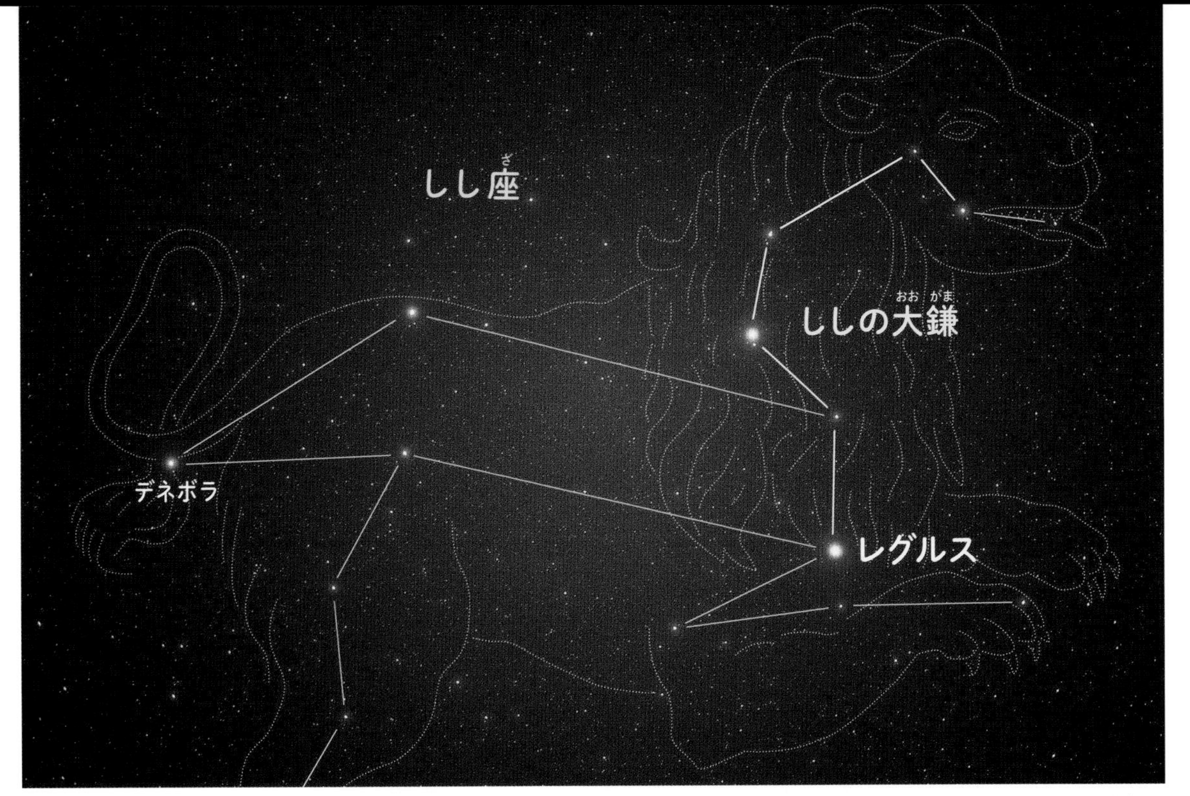

しし座は退治された人喰いライオン

ギリシャ神話に登場するしし座のライオンは、百獣の王のイメージとは大違いで、あの英雄のヘルクレス座に退治されてしまった、ネメアの森にすむ人喰いライオンです。近くのかに座やうみへび座などと一緒に春の悪役星座にされています。

レグルスと惑星が接近する

しし座の1等星レグルスから北に「?」マークを裏返しにしたような「ししの大鎌」は、とてもよく目につくので、京都あたりでは、?マークを横に寝かせ、屋根の雨どいをかける金具に似ていると見て、「樋かけ星」などとも呼んでいました。そのししの大鎌の出発点ともなるレグルスは、太陽や惑星の通り道とも言える黄道からわずか0.°5しか離れていないので、しばしば近くに明るい惑星がやってきて並ぶことがあります。右の2枚の写真は、赤い火星と「夜半の明星」とも呼ぶ明るい木星がやってきて並んだときの光景です。星空での惑星の移動の様子がよくわかることでしょう。

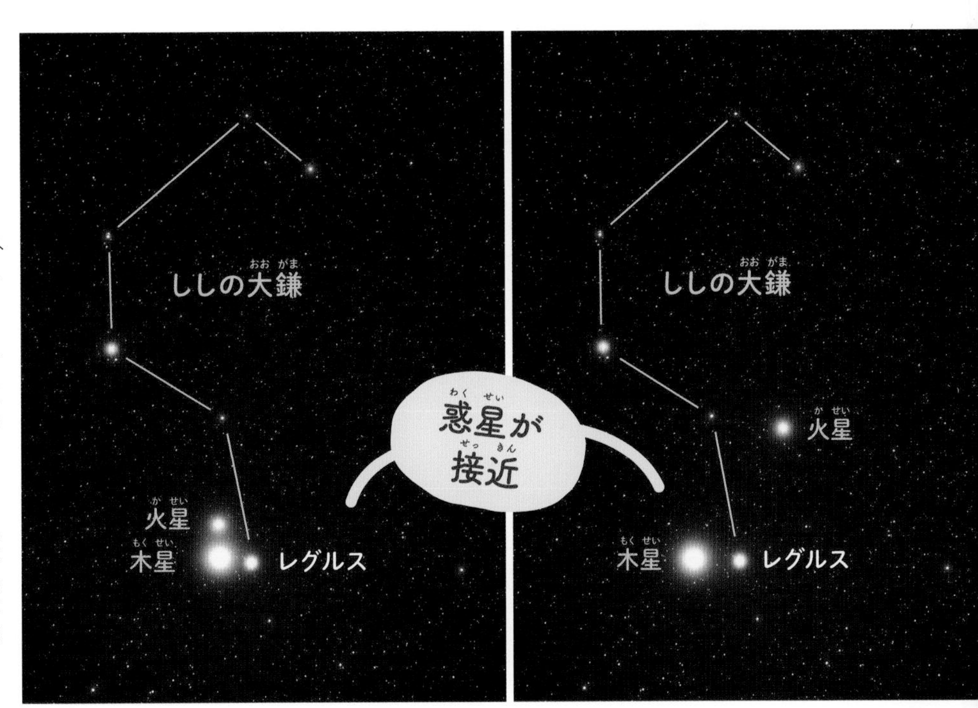

章 夏の1等星を見上げよう！

夏の1等星

うだるような暑さの一日が終わり、ホッとひと息ついて夕涼みがてらゆったり気分で見上げる夏の星空は、なんと心地よいことでしょうか。

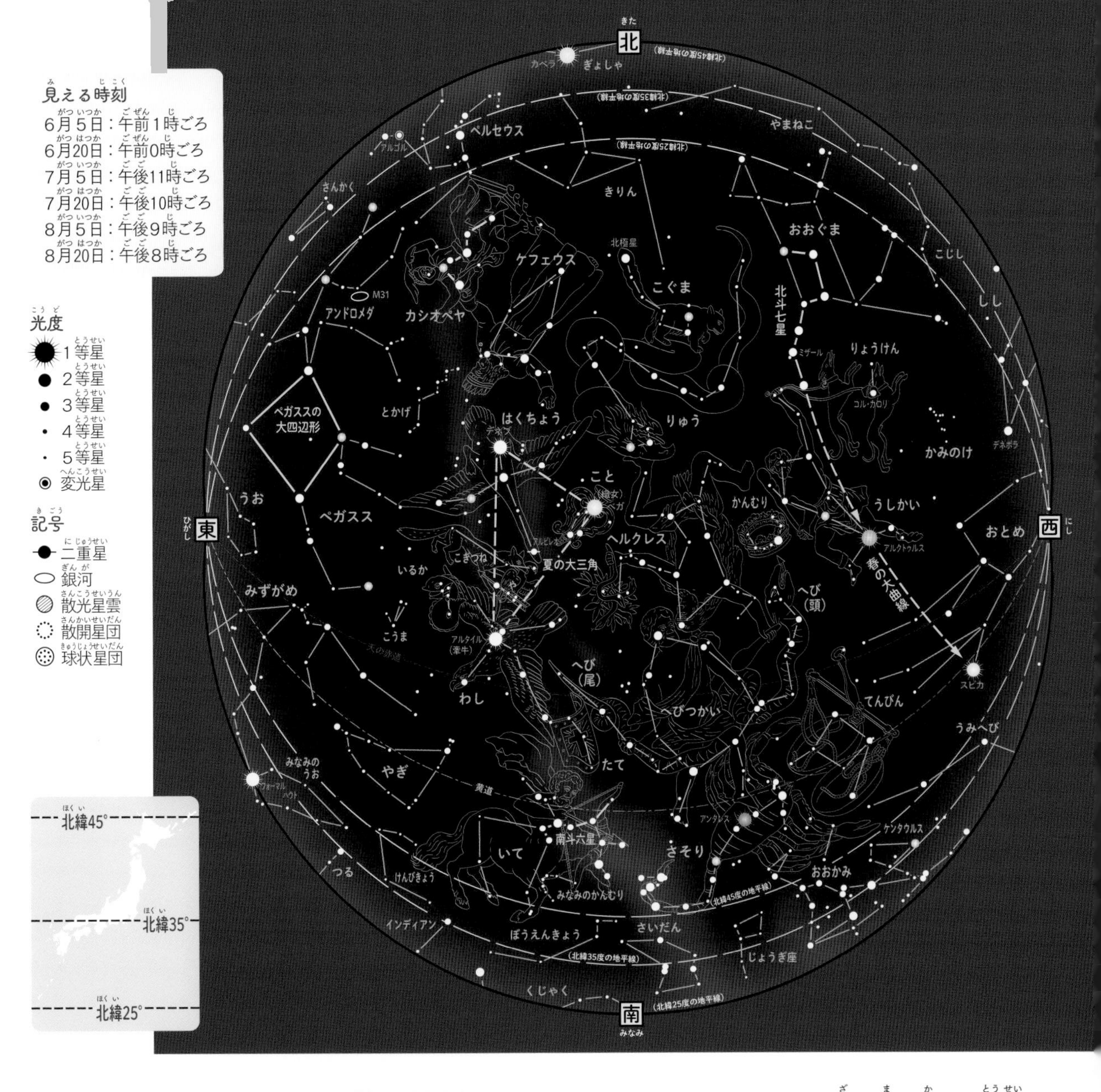

夏の星空

南北に長い日本列島では、星を見上げる場所（緯度）によって、南や北の地平線上の星空の見える範囲が少し違ってきます。上の星座図では緯度別に見える範囲の違いを示してあります。これによって、たとえば、さそり座の真っ赤な1等星アンタレスが北海道付近では南の空低く見え、沖縄付近ではずいぶん高く昇って見えることがわかるでしょう。夏の夜空の風物詩とも言える、いて座付近の天の川の輝きも、南の地平線のあたりでの明るさが違って見え、南よりの地方ほど迫力が増した光景が楽しめます。

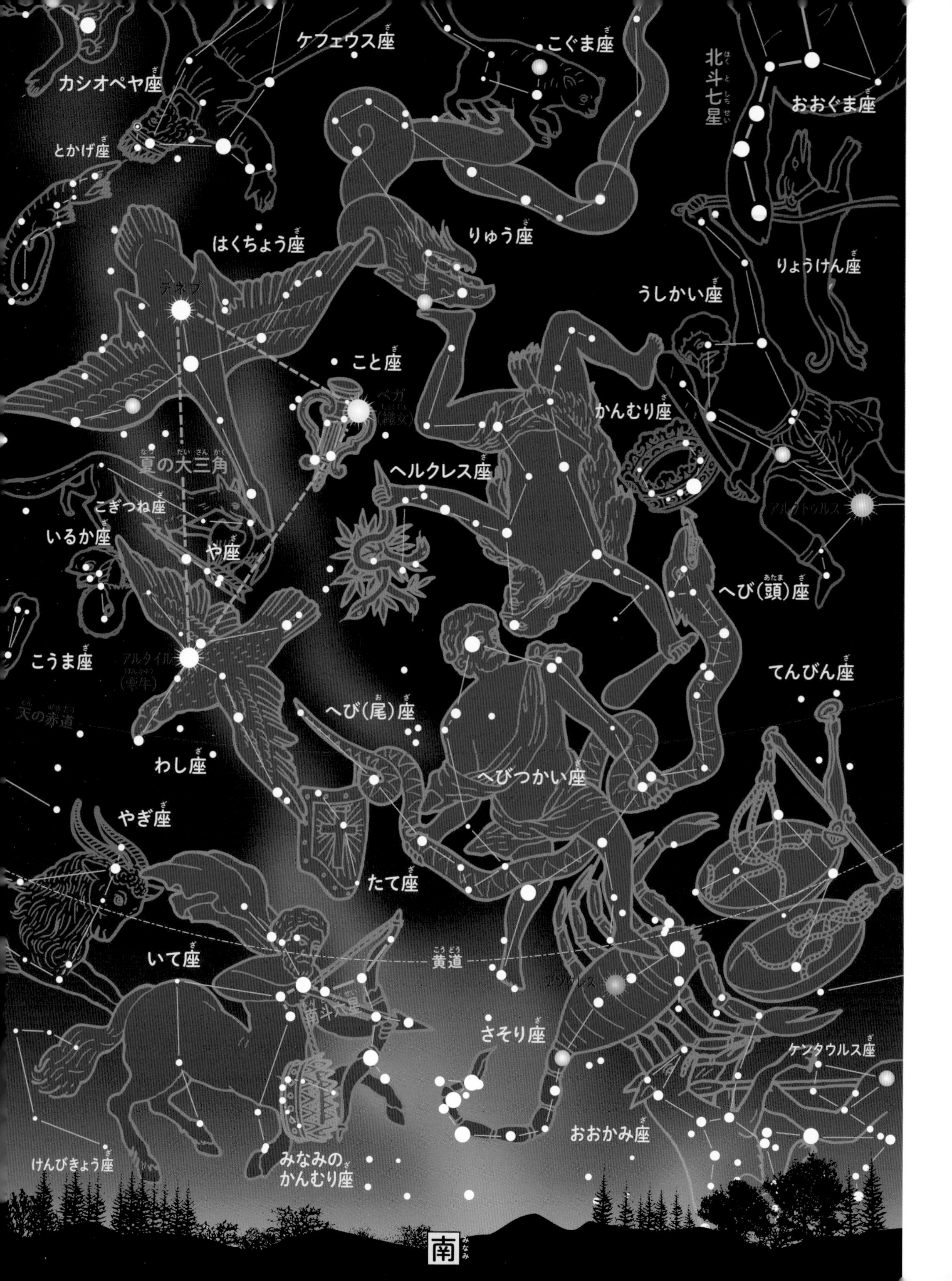

ケフェウス座
こぐま座
北斗七星
カシオペヤ座
おおぐま座
とかげ座
りゅう座
はくちょう座
りょうけん座
デネブ
うしかい座
こと座
ベガ
(織女)
かんむり座
夏の大三角
ヘルクレス座
こぎつね座
アルクトゥルス
いるか座
や座
へび(頭)座
こうま座
アルタイル
(牽牛)
てんびん座
天の赤道
へび(尾)座
わし座
へびつかい座
やぎ座
たて座
いて座
黄道
アンタレス
南斗六星
さそり座
ケンタウルス座
おおかみ座
けんびきょう座
みなみの
かんむり座
南

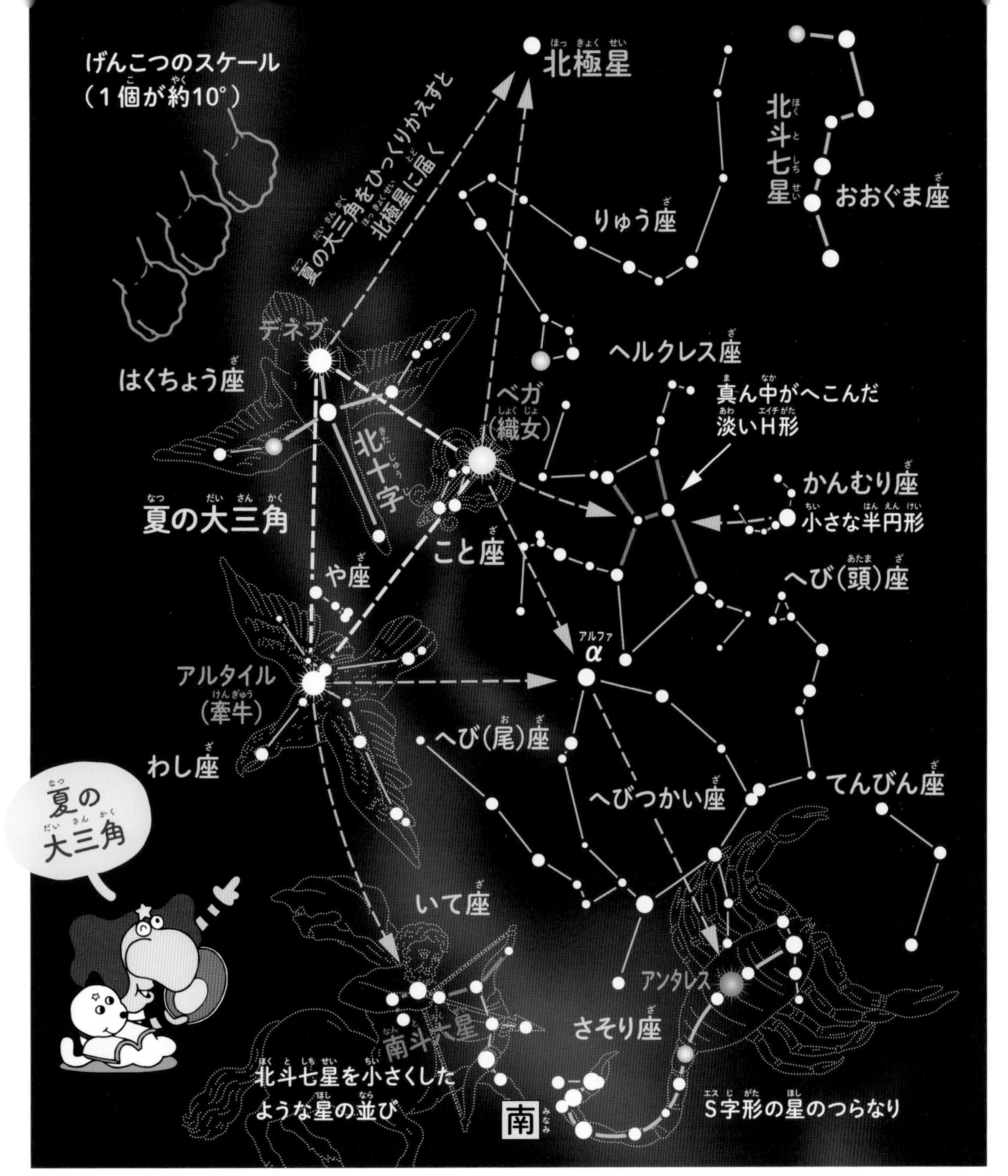

夏の星座（46ページ）

夏の宵のころ、南に向かって見上げたときの星空の様子です。夏の夜空は少しモヤっぽいので、夏一番の見ものの天の川の光芒などが、市街地内ではよくわかりません。できれば夜空の暗く澄んだ高原や海辺などへ、家族や友人たちとキャンプに出かけて、星空を眺めるのがおすすめです。流れ星など、普段ならお目にかかりにくいものも、楽しむことができます。

夏の星座を見上げよう

一番の目印は、頭上にかかる3個の1等星、ベガとアルタイル、そしてデネブで形づくる「夏の大三角」です。ベガは七夕の織女星、アルタイルは牽牛星としておなじみの1等星で、夏の大三角は市街地内でもとてもよく目につく星の並びです。南よりの空では、真っ赤な1等星アンタレスを中心とするさそり座のS字形のカーブが、目を引きます。

七夕の牽牛星 わし座のアルタイル

白い牽牛星の輝き

夏から秋にかけての宵のころ、頭上を見上げると、天の川をへだてて輝く明るい1等星2つが目にとまります。天の川の西岸の明るい方が七夕の織女星としておなじみのこと座のベガで、天の川の東岸で輝くのが牽牛星わし座のアルタイルです。アルタイルの両わきにはβ星とγ星という小さな星が小さな一直線をつくるように並んでいるので印象的に見えます。

高速回転中のアルタイルの輝き

七夕の織女星ベガの地球から25光年の距離よりずっと近い17光年のところに、アルタイルがあります。直径は太陽の1．9倍ほどで、表面温度は太陽の6000度に比べて8250度と高めで、白く輝いて見えます。また、太陽が秒速2kmのゆっくりしたスピードで、およそ26日がかりで1回転するのと比べると、アルタイルは秒速260kmの猛スピードで自転しており、24時間で3回転もまわります。これは、それ以上速いスピードでで自転すると、星がばらばらに壊れてしまう限界の90%に近い猛烈な高速自転ぶりです。

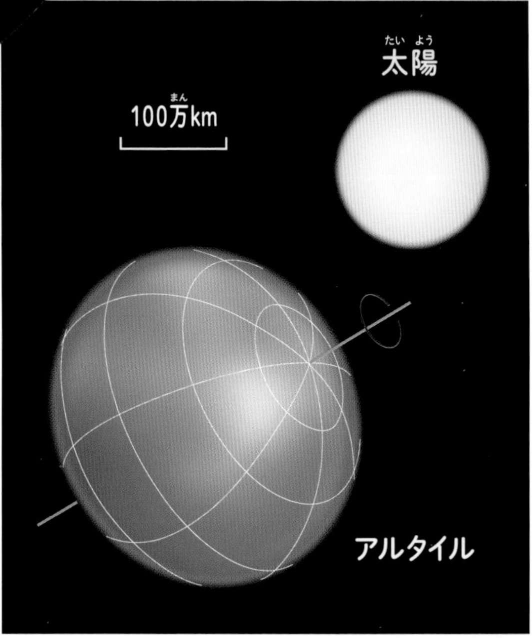

平べったいアルタイル

高速自転しているため、遠心力で赤道方向が22%もふくらんだ、いびつな平べったい楕円形の姿となっています。このため極のあたりより、星の中心から遠めの赤道付近の方が温度が低めになっています。なお、50ページに織女星ベガの形が示してありますが、ベガも牽牛星アルタイルほどではありませんが、自転の速い星の1つです。

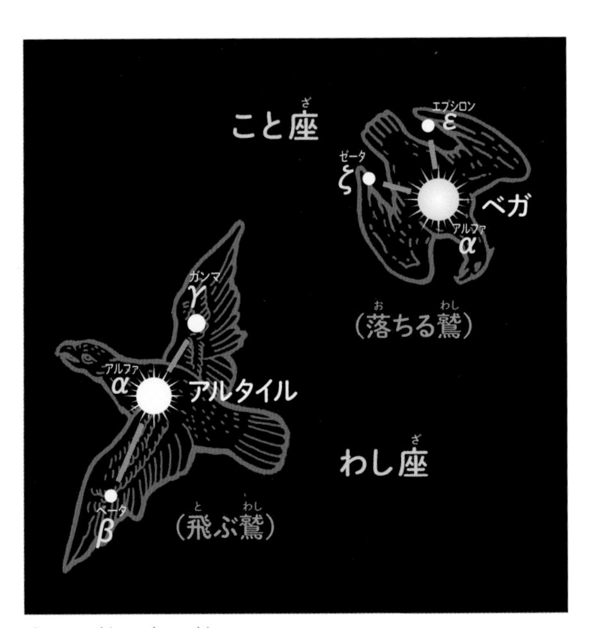

落ちる鷲と飛ぶ鷲

アルタイルは「飛ぶ鷲」、ベガは「落ちる鷲」という意味のアラビア語に由来する名前で、七夕の呼び名とは関係がありません。ベガは近くの星を「へ」の字のように結びつけ、翼をたたんで急降下する鷲、アルタイルは両わきの星を一直線に結びつけ、翼を広げて砂漠の上空をゆうゆうと飛ぶ鷲の姿をイメージした名前というわけです。

ベガルタ仙台のチーム名

サッカーのJリーグで活躍する「ベガルタ仙台」のチーム名は、宮城県仙台市の豪華な七夕飾りにちなみ、織女星ベガと牽牛星アルタイルの名を合成したものです。また「アルビレックス新潟」は、はくちょう座の口ばしにある美しい二重星アルビレオに由来する名前で、新潟県水原町の瓢湖は白鳥の飛来地としても有名です。

アルタイルから オリオン座を見ると…

夏の宵の南の空低く、明るい夏の天の川の中に輝くいて座は、ギリシャ神話で大活躍する英雄たちに教育をほどこした先生とされるケイローンが弓矢をつがえた半身半馬の奇妙な姿をした星座です。実は、夜空に見える星ぼしをはじめて星座の形に並べたのも、このケイローン先生だったと神話では伝えています。私たちが星座を楽しむことができるのも、いて座のケイローン先生のおかげというわけですが、それは地球上から見てのお話で、例えばアルタイルをめぐる惑星がもしあったとすれば、そこの住人が眺める星座の形は違ったものになります。その例をわかりやすいオリオン座などの様子で右の図に示してみました。なお、アルタイルから見た太陽は3.4等の黄色みを帯びた星として輝いています。

七夕の織女星
こと座のベガ

夏の天の川の両岸に輝く２つの１等星、こと座のベガとわし座のアルタイルは、七夕伝説でおなじみの星で、ベガは織女星として、アルタイルは牽牛星として誰もが知っているでしょう。

惑星が存在!? ベガの輝き

地球からの距離25光年のところで輝くベガの正体は、詳しく調べられており、大きさは極方向が太陽の直径の2.3倍、赤道方向が2.8倍と、楕円形にひしゃげた形をしていることが明らかになっています。表面温度は極の方が9900度と高いのに対し、赤道付近が9000度くらいと少し低めで、地球からはベガの極方向が見えていることがわかっています。また、ベガの周囲には、チリの円盤が取り巻いていて、もしかすると太陽系で言えば、海王星ぐらい離れたあたりに、木星より大きめの「惑星」が存在するかもしれないと見られています。

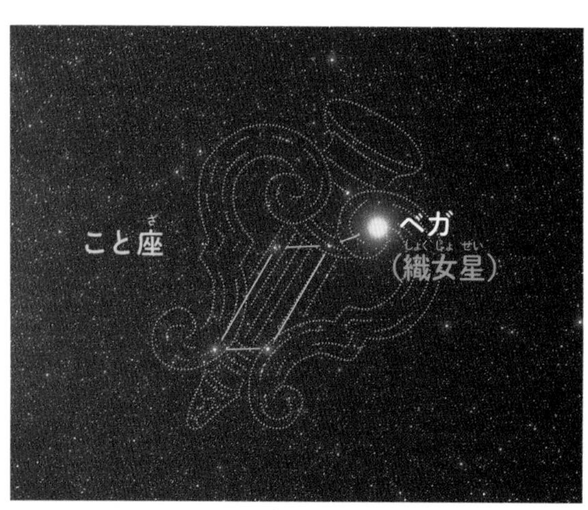

女王のように美しいベガ

ギリシャ神話の楽人オルフェウスの竪琴を飾る宝石のようなベガの輝きは、「夏の夜の女王」あるいは「北の空の女王」とたとえられるほどの美しさです。

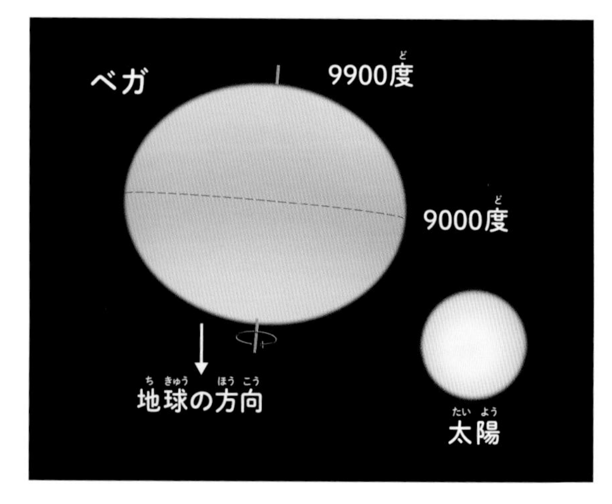

ひしゃげているベガ

秒速170kmで自転しているため、赤道方向にひしゃげた形をしています。一方、牽牛星アルタイルの自転速度は秒速260kmもあります。

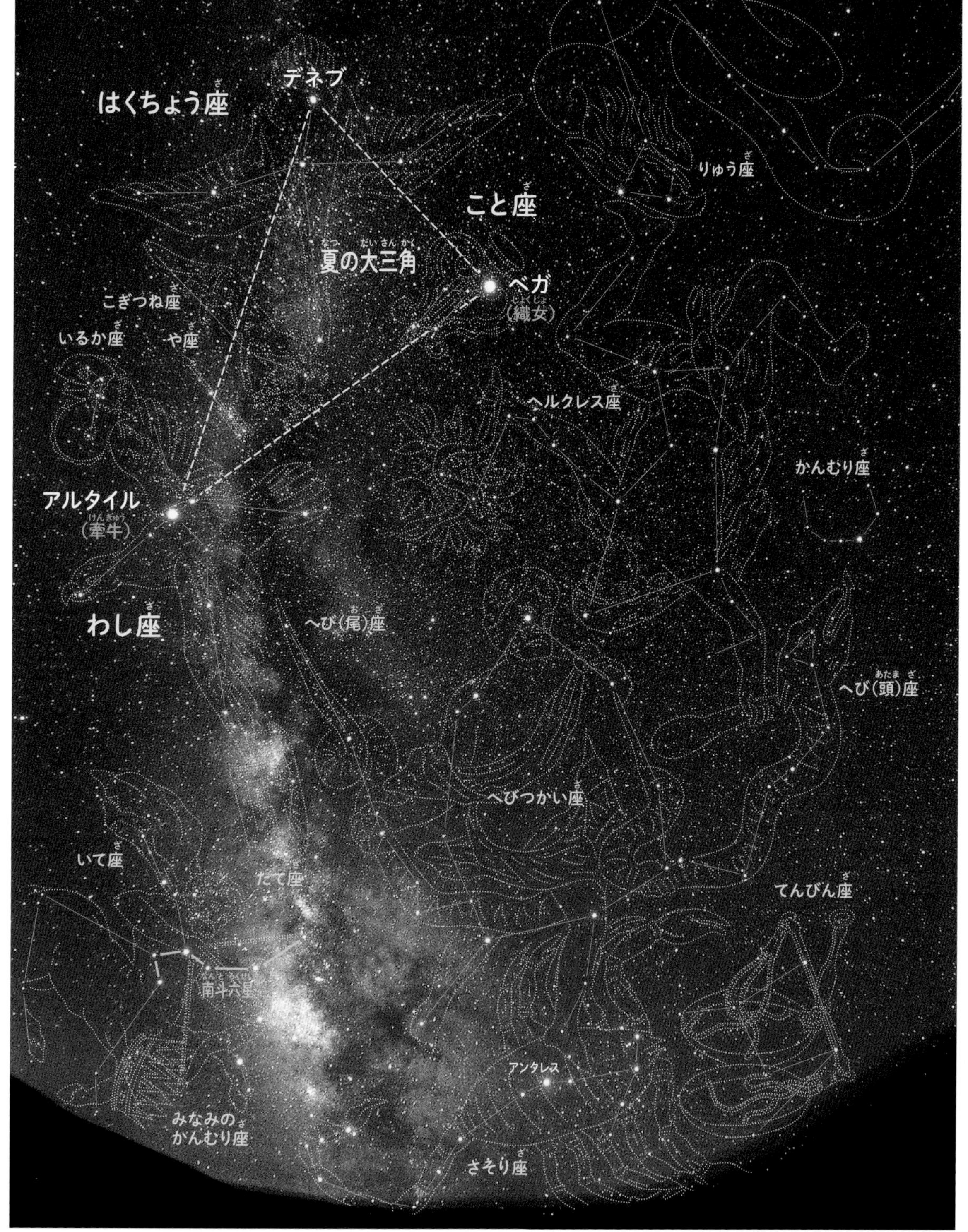

夏に見られる星座や天の川

市街地内では、ネオンや外灯、スモッグなどで夜空が明るく、夏の夜空で見えるのは、「夏の大三角」をつくること座の織女星ベガ、わし座の牽牛星アルタイル、はくちょう座のデネブ、そして南の空のさそり座のアンタレスの４個の明るい１等星くらいのものですが、夜空の暗い高原や海辺へ出かけると、淡い天の川や流れ星などを見ることができます。夜空の明るい、淡い星の見えにくい市街地でも、夏の大三角の星の並びだけはよくわかるので、他の夏の星座探しのよい目印となってくれます。

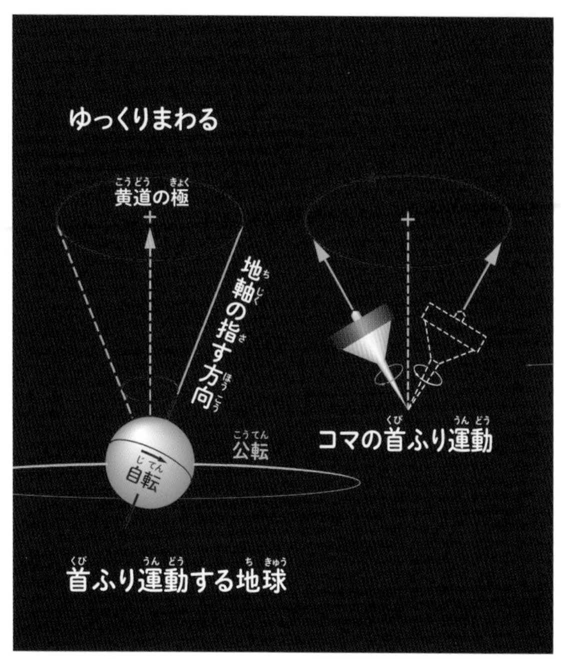

地球は首をふっている（歳差運動）

地球の自転軸は、勢いのおとろえたコマの心棒のように首をふる「歳差」によって、およそ2万6000年の周期でゆっくりまわっています。このため、地軸が指す「北極星」役をになう星も次々に移り変わり、現在はこぐま座のα星が北極星となっているのです。

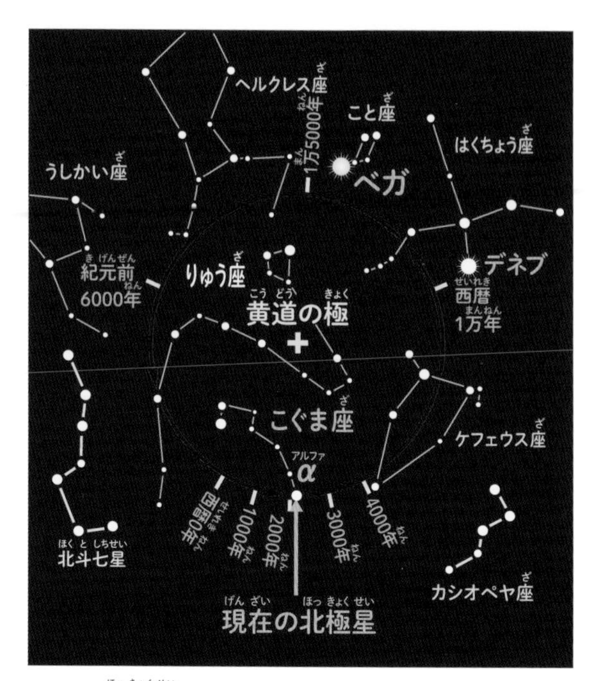

ベガも北極星になる！

地球の自転軸の歳差運動で、北極星役の星が移り変わっていくため、今から1万2000年後には、織女星ベガが、天の北極からわずか5°しか離れていない北極星として一晩中見えることになります。そのころのベガは、地球に17光年まで近づき－0.8等星になって見えます。

七夕の星はとっても離れている！

織女星ベガと牽牛星アルタイルは、日本では「織り姫」や「彦星」の呼び名でも親しまれている七夕祭の星です。この2つの1等星が7月7日の夜、一年に1度のデートを楽しむ星伝説は誰もが知っていることでしょう。七夕飾りの笹竹に願いごとを書いた短冊をつるして楽しんだこともあるのではないでしょうか。ただし、ベガとアルタイルの距離は14.8光年も離れているので、地球から眺めていて、2つの星が7月7日の七夕の夜に年に1度のデートを楽しむために、くっついて見えるなんてとてもムリだとわかります。なにしろ、この世の中で一番速い光のスピードでも14.8年もかかるほど離れている星どうしなのですから…。

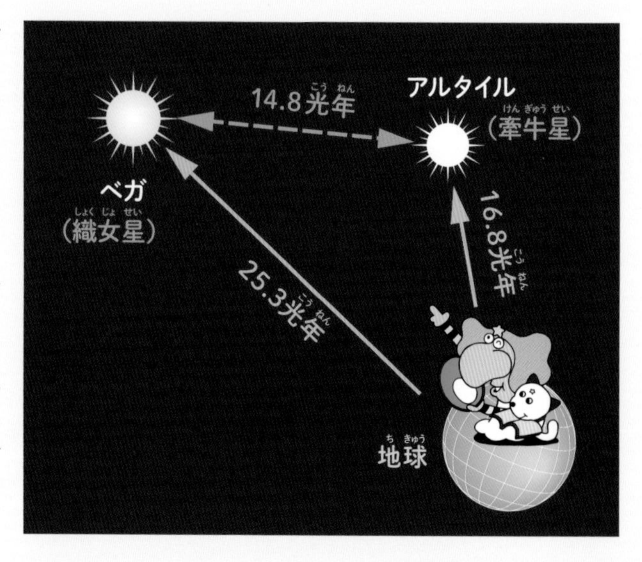

一番赤く輝く1等星 さそり座のアンタレス

まぶしい赤い輝き

暑い夏の一日が終わって、ホッと一息つく日暮れのころ、真南の空に目を向けると、まず目にとまるのは、真っ赤な1等星アンタレスを中心に、大きなS字カーブを描いて星がつらなる「さそり座」の姿です。

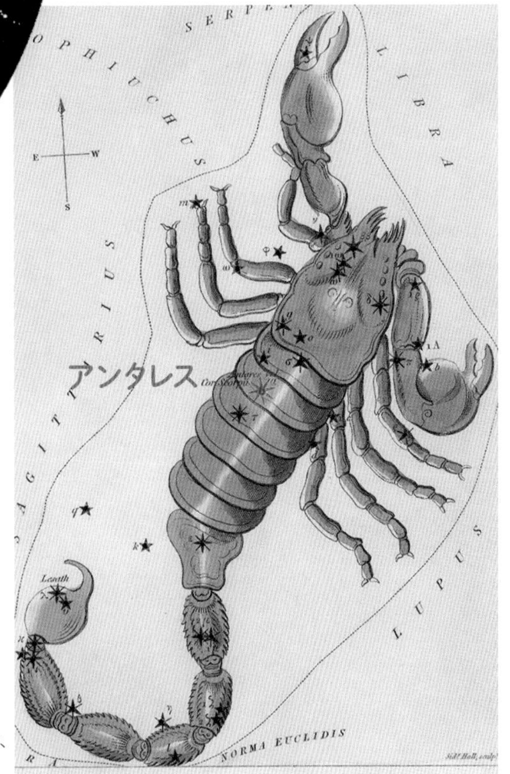

半規則変光星アンタレスの輝き

地球から554光年の距離にある赤色超巨星で、1等星の中で最も赤く輝いているものの1つです。地球から32.6光年のところにアンタレスがあったとしたら、その絶対光度は−5.1等で宵の明星の金星より明るく見えることになります。実際の明るさは太陽の約9000倍もありますが、密度は太陽の100分の1にも満たず、これは地球上の空気のたった1万分の1しかないたよりなさです。また、ぶよぶよにふくらんだアンタレスは、大きくなったり縮んだり不安定に大きさを変え、0.9等から1.8等まで約4.7年の周期で明るさを変える半規則変光星となっています。見逃せないのは、高倍率だと見える5.5等の伴星を連れていることで、周期1217年でめぐっています。

さそり座の古星座絵で輝くアンタレス

童話『銀河鉄道の夜』でおなじみの宮沢賢治は『星めぐりの歌』で、アンタレスを「さそりの赤い目玉」と表現しています。

アンタレスと火星ではどっちの方が赤い？

アンタレスの名前は「火星の敵」とか「火星に対抗するもの」という意味の「アンチ・アレス」に由来します。アレスはギリシャ神話の戦いの神の名で、アンチは「対立する」という意味です。アンタレスは黄道に近いため、しばしば赤い惑星の火星アレス（英語ではマーズ）がやってきて、赤さ比べをしているように見えるところから名づけられました。

かごかつぎ星とも呼ばれたアンタレス

赤いアンタレスは、日本では「赤星」とか「酒酔い星」などと見たイメージどおりの名で親しまれていましたが、地方によっては「かごかつぎ星」とか「豊年星」の名前でも呼ばれていました。アンタレスとその両わきの星3つでつくる「へ」の字の星の並びを、天秤棒で荷をかつぐ人と見て、荷が重く、アンタレスが力んで真っ赤な顔をしていると見立てたわけです。また、アンタレスが赤く明るく見える年ほど豊作になるとも伝えられていました。半規則変光星のアンタレスが、0.9等から1.8等星まで明るさを変えるのに気づいていたからでしょうか。なお、さそり座の星にはいくつか和名が伝えられており、上の写真に示してあります。

大火アンタレス

中国では、その赤い色あいからアンタレスのことを「火」とか「大火」と呼んでいました。漢詩にしばしば登場する「大火西に流る」の言葉は、秋がきてアンタレスが南西の地平線低く下がった光景を表したもので、初秋のさみしさを感じさせる見事な表現と言えましょう。唐の大詩人の李白（左上）は、詩「太原早秋」で、「秋、木の葉も落ちる時節となり、大火星が西に流るときにあたっている…」と歌い出しています。

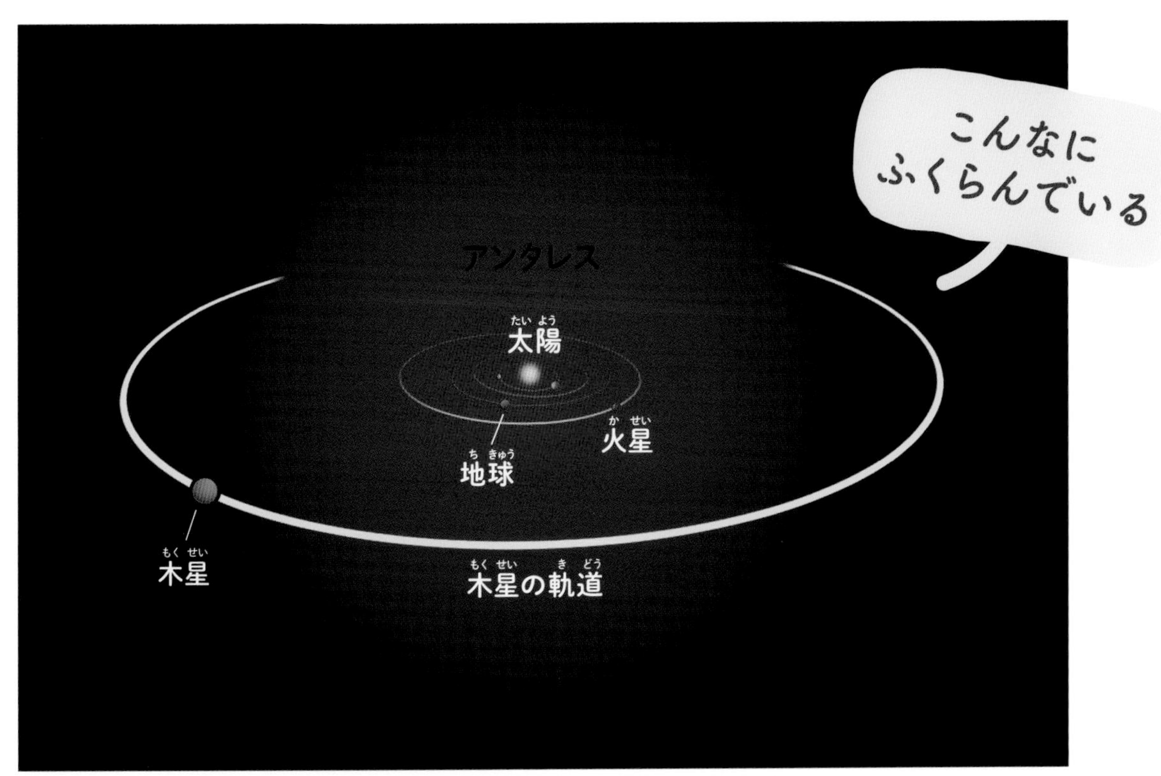

赤色超巨星アンタレス

太陽のように自ら熱と光を放って輝く星は、11ページに示してあるように、大きくふくらんで赤色巨星や赤色超巨星となり、表面温度は下がって赤い色の星となって見えることになります。アンタレスがあんなに赤く輝いて見えるのは、年老いて直径が太陽の720倍にもふくらみ、表面温度が太陽の半分くらいの約3500度しかないためです。

最も遠くで輝く1等星 はくちょう座のデネブ

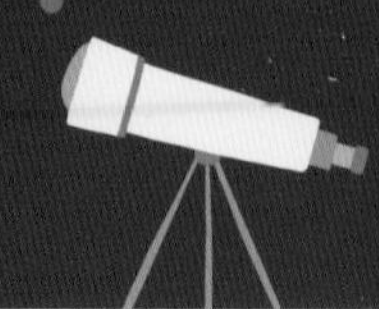

夏から秋にかけての宵のころ、頭上の天の川の中に1等星デネブと4個の星で形づくる十文字の星の並びが目にとまります。南天の南十字星に対して「北十字星」とも呼ばれるはくちょう座です。ギリシャ神話の大神ゼウスが化けたとされる白鳥の姿がイメージしやすい星座です。

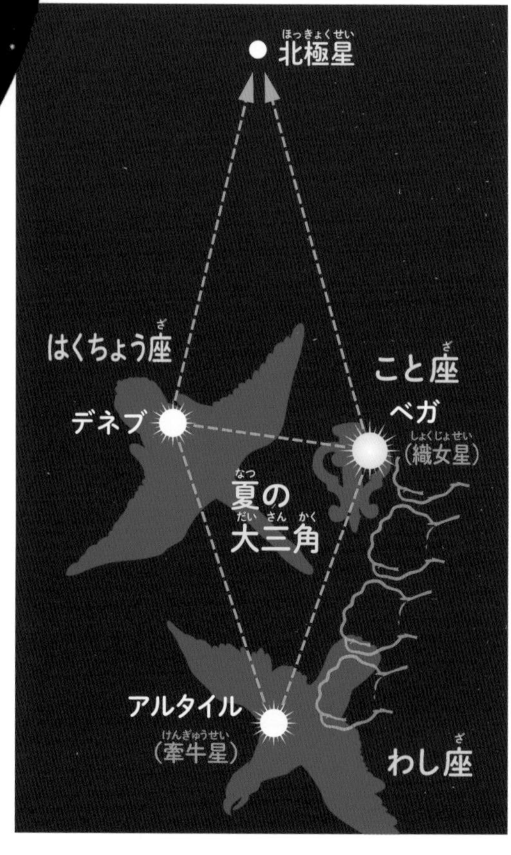

遠くにいるデネブの輝き

はくちょう座の尾にあたる1等星デネブの明るさは1.2等星で、1等星の中ではやや暗めですが、地球からの距離が1412光年と1等星としては最も遠くにあることを考えれば、その実態がいかに明るい星かがわかることでしょう。実際、デネブは太陽の5000倍以上の明るさで輝く、表面温度9200度のものすごい青色超巨星です。このデネブから太陽を見ると、なんと13等星のかすかな星にしか見えません。

夏の大三角から北極星を探そう

地球からそれぞれの星までの距離は、ベガが25光年、アルタイルが17光年、デネブが1412光年と異なっていて、宇宙空間で描く夏の大三角の形は、デネブの方向でものすごく遠くに引っこんでいることがわかります。もし、デネブをベガの近さまで持ってくると、半月くらいの明るさとなって見えることになります。それはともかく、夏の大三角をベガとデネブを結んだ辺で北よりに折り返すと、その頂点のあたりに2等星の北極星が見つけられることを覚えておくと、北の方角を知るのに役立ちます。

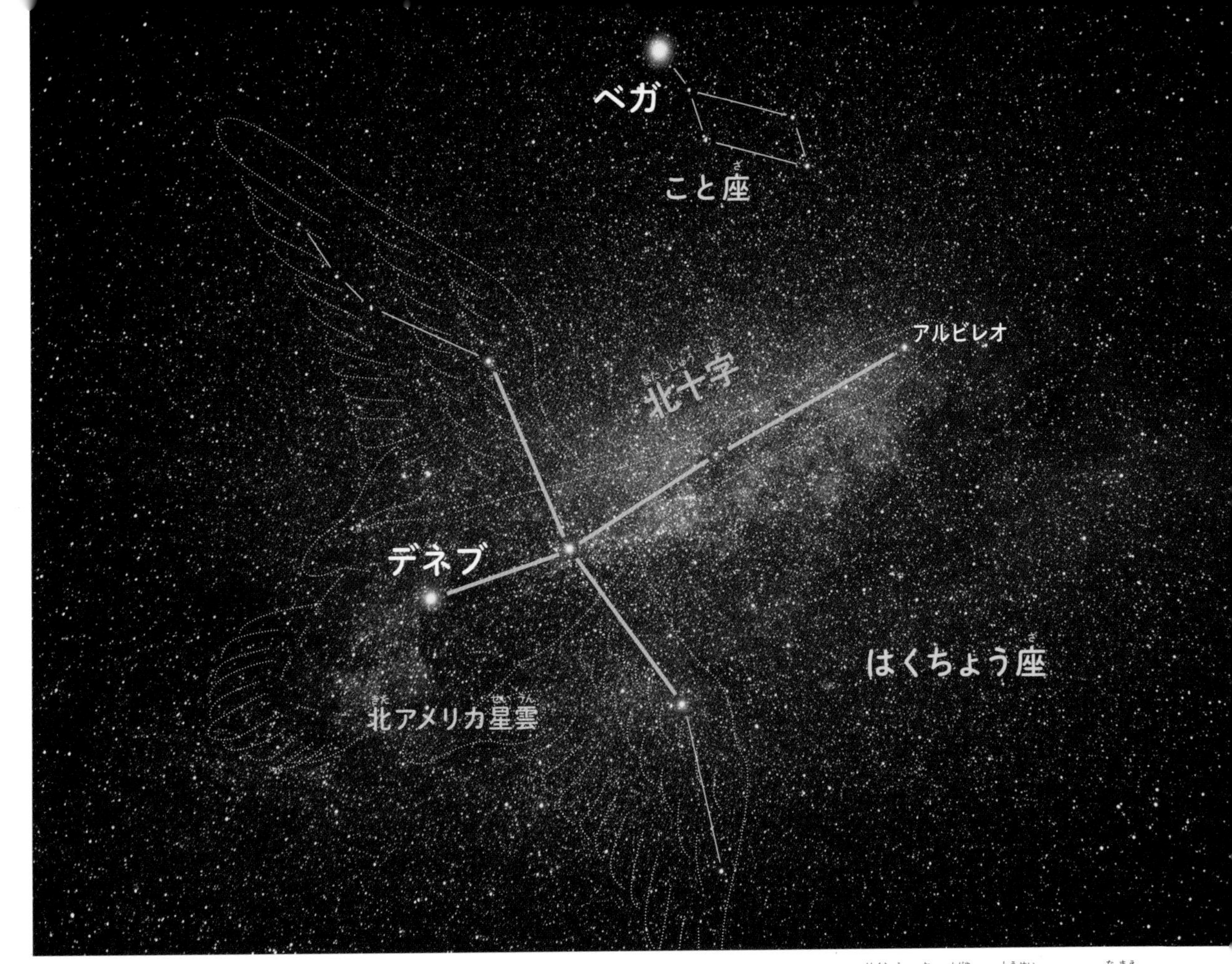

見つけやすい
はくちょう座の十文字

大神ゼウスが化けた白鳥の姿の十文字は、とても見つけやすいものですが、その白鳥の尾に輝く1等星デネブの名前は、「めんどりの尾」という意味のアラビア語に由来します。デネブのすぐ近くにある北アメリカの地図にそっくりな形の「北アメリカ星雲」は、夜空の暗く澄んだ場所では肉眼でもかすかに見えるので、注目してみてください。

新星が出現！

1975年の夏休みの終わりごろ、デネブのすぐ近くに1.7等の明るい「新星」が現れて人々を驚かせましたが、最初に見つけたのは高校生でした。新星は星の爆発現象で、それまで見えなかったところに突然明るい星が現れるものなので、いつどこに出現するのか予想はできませんが、どちらかと言えば、新星は天の川に沿ったところで発見されることが多いと言えます。もし見つけたら、できるだけ早く国立天文台などに報告しましょう。右の写真は、1975年の新星の出現前後の様子です。

5章 秋の1等星を見上げよう！

秋の1等星

古代エチオピア王家にまつわる壮大なドラマが絵物語のように展開される秋の星空ですが、明るい1等星はフォーマルハウトだけと、ややさみしい星空です。

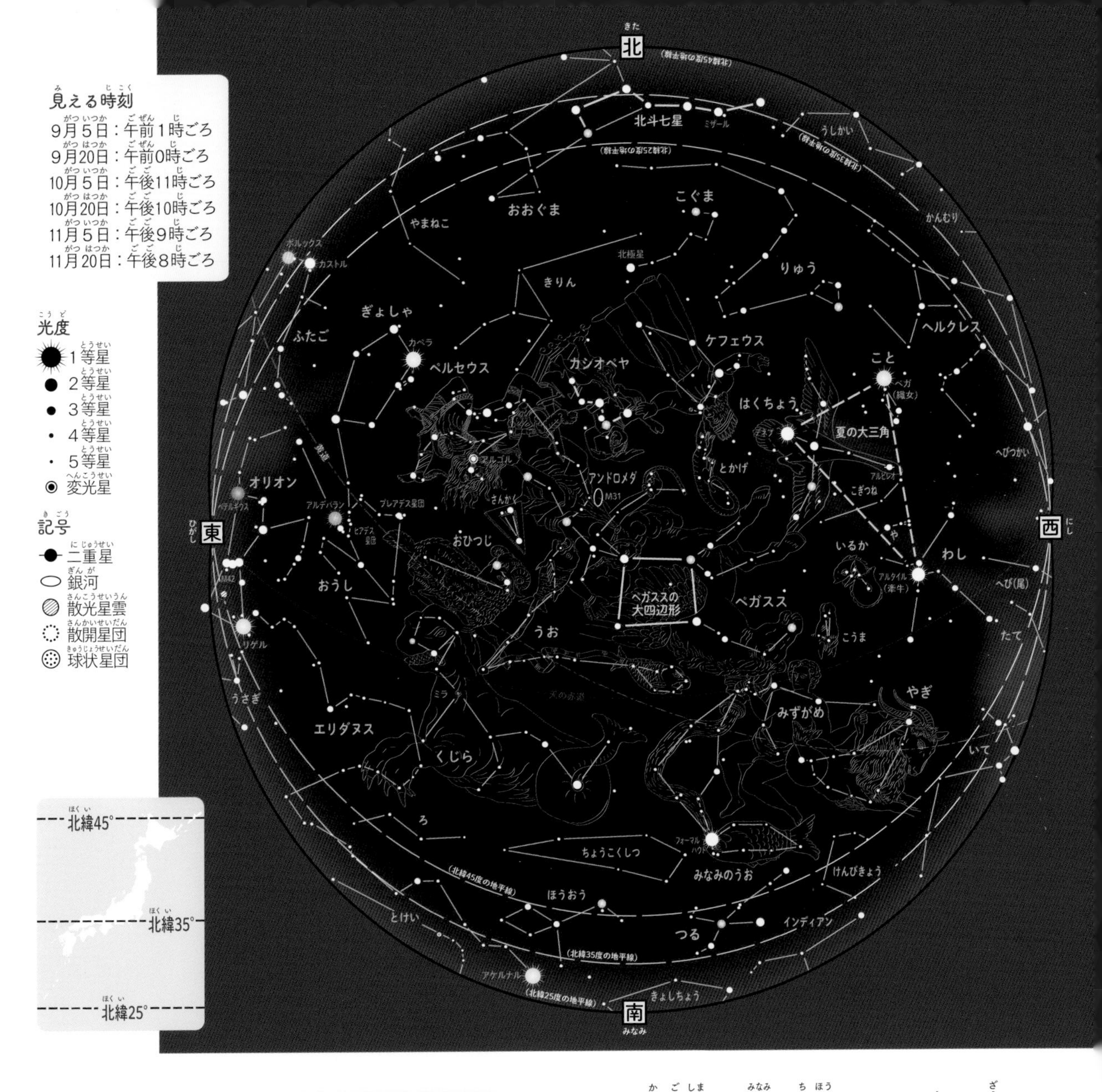

秋の星空

南北に長い日本列島では、星を見上げる場所（緯度）によって、南や北の地平線上の星空の見える範囲が少し違ってきます。上の星座図では緯度別に見える範囲の違いを示してあります。これによって鹿児島より南の地方ではエリダヌス座の川の果てに輝く1等星アケルナル（70ページ）を見ることができるなどという判断もつけられます。秋の宵のころの南の空には、みなみのうお座の1等星フォーマルハウトだけしか1等星がありませんが、西の空低くには、まだ「夏の大三角」が見え、東の空から冬の1等星たちが昇りはじめてきているのがわかります。

やまねこ座
きりん座
カシオペヤ座
ケフェウス座
りゅう座
はくちょう座
ペルセウス座
デネブ
とかげ座
M31
アンドロメダ座
おひつじ座
さんかく座
こぎつね座
ペガススの大四辺形（秋の大四角形）
ペガスス座
うお座
いるか座
こうま座
黄道
天の赤道
くじら座
みずがめ座
やぎ座
ろ座
みなみのうお座
ちょうこくしつ座
フォーマルハウト
けんびきょう座
つる座
ほうおう座
南

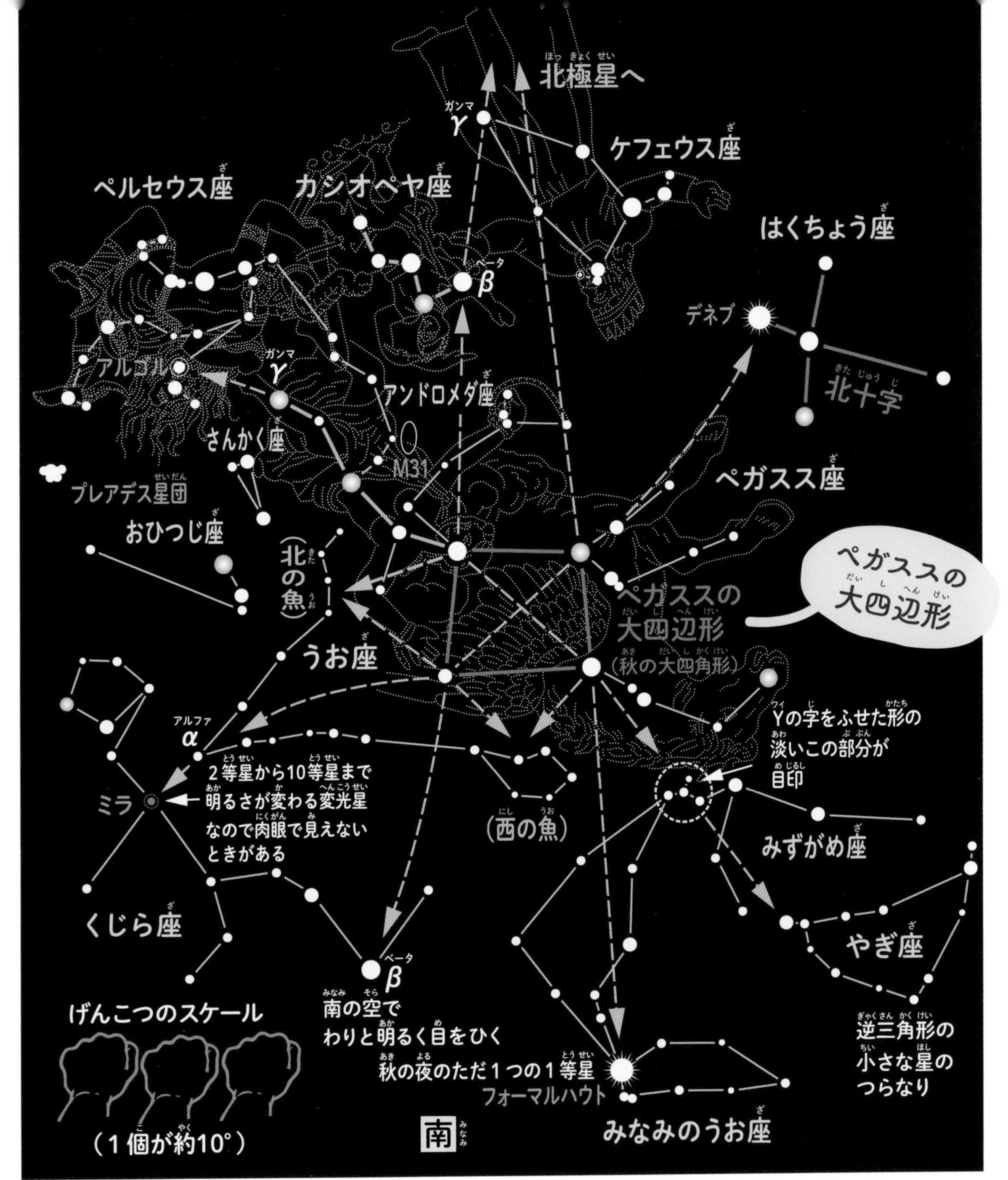

秋の星座(60ページ)

秋の宵のころ、南に向かって見上げたときの星空の様子です。秋の夜空は澄みわたって星の輝きが見やすいはずなのですが、明るい星が少ないので、他の季節の星空よりおとなしい印象を受けることでしょう。しかし、秋の星空は古代エチオピア王家の星座神話に登場する星座たちで占められているので、絵巻物を見ているような楽しさが味わえます。

秋の星座を見上げよう

頭上に高く昇った「ペガススの大四辺形」は「秋の大四角形」とも呼ばれ、各辺をあちこちに延長してたどると、秋の淡い星座たちの姿を見つけ出すことができます。注目したいのは、くじら座の変光星ミラで、2等星から10等星まで大きく明るさを変えるため、肉眼で見えることもあれば、まったく見えないこともあります。その明るさを変える様子を観察してみてください。

秋の宵の唯一の１等星
みなみのうお座のフォーマルハウト

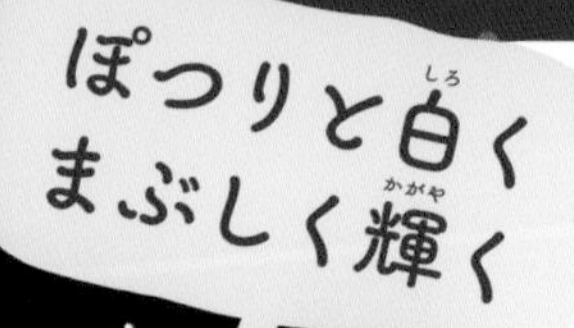

他に明るい星が１つも見あたらない秋の宵空で、南の空低く輝く白色のフォーマルハウトは、秋の星空では唯一の１等星です。フォーマルハウトの名前は、「魚の口」を意味するアラビア語の「フム・アル・フート」に由来するもので、みなみのうお座の口もとで輝いています。

白くまぶしいフォーマルハウトの輝き

地球からの距離25光年のところにある近い星で、直径は太陽の1.8倍ほどです。表面温度が太陽の6000度よりずっと高い9300度なので、あんなに白く輝いて見えているというわけです。秒速７kmほどのスピードで私たちから遠ざかっていますが、似たような固有運動※1を示す１等星には、ふたご座のカストルやこと座のベガなどがあり、同じ運動星団※2の仲間かもしれないと見られています。

チリの環で惑星が衝突中!?

右の写真は、明るいフォーマルハウトの輝きをおおい隠してとらえたもので、淡いチリの環がフォーマルハウトの周囲を取り巻いているのがわかります。このチリは、私たちの太陽系の黄道の円盤とよく似た中心部のあたたかいチリで、この中に872年の周期でめぐる惑星のような天体が見つかっています。その惑星の重さは、木星の数倍くらいで、フォーマルハウトから約180億km離れたところをまわっていると言われています。しかも、チリの内部では、惑星の他、小惑星たちが衝突をくり返しているらしい兆候も見られるそうです。

※1 天球上での恒星の見かけの動きのこと。／※2 天球上での見かけの運動がほぼ一致する恒星の集団。

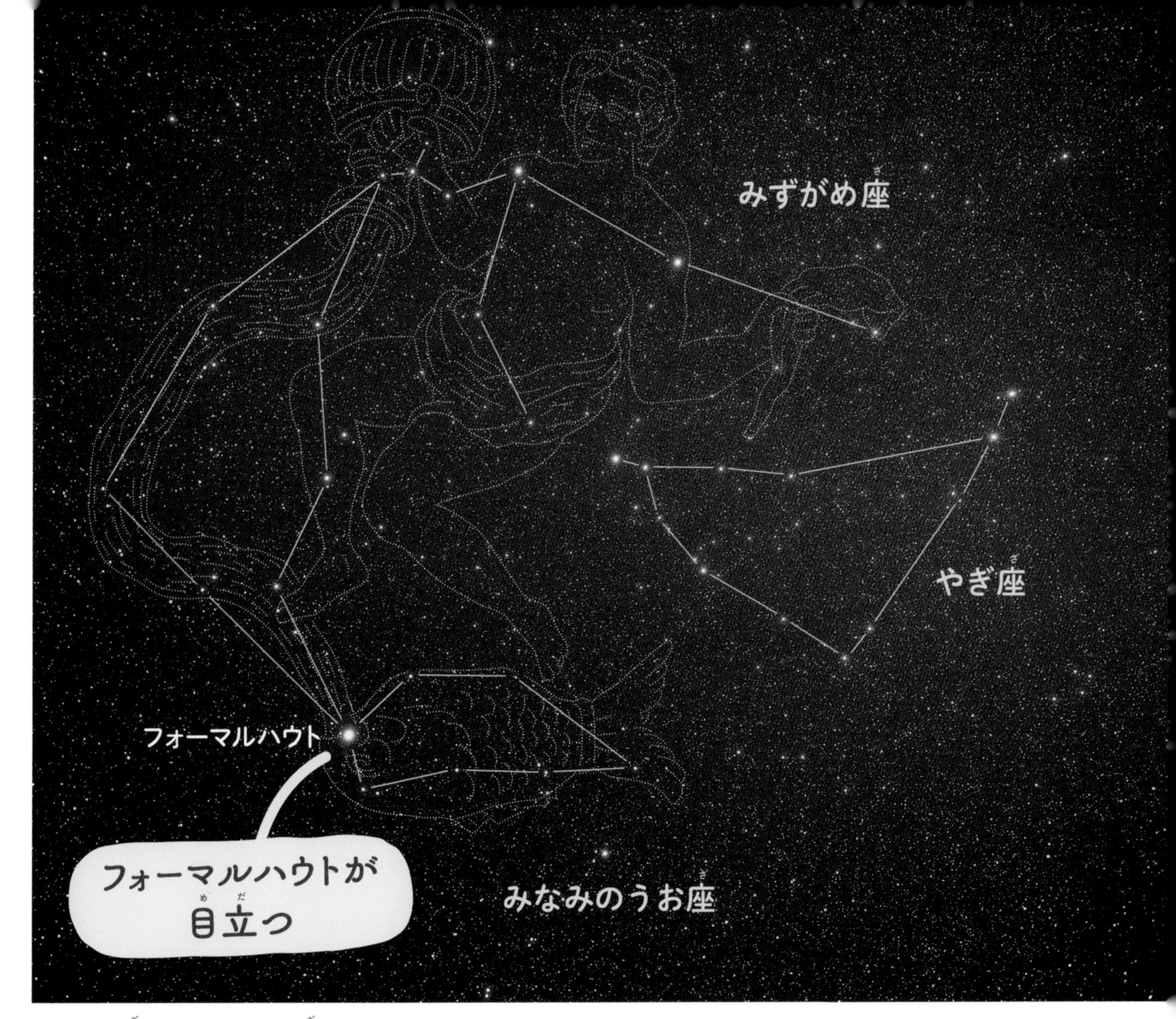

みずがめ座とみなみのうお座

みずがめ座の水瓶から流れ落ちてくる水を、大きな魚の口で受け、飲みほすような位置に輝いているのがフォーマルハウトです。南の空でフォーマルハウトがたった1つぽつんと光っているのを目にすると、秋らしいさみしげな印象を受けます。日本では「南の一つ星」とか「秋星」の名前で呼ぶ地方もありました。中国での呼び名は「北落師門」で、昔、長安の都にあった門の上に輝く明星という意味の名で呼んでいました。

フォーマルハウトは なんと三重連星系！

2°も南に離れた6.5等のT・W星は、10日ぐらいの周期でわずかに変光する閃光星ですが、固有運動が同じなのでフォーマルハウトAの伴星Bと見られています。主星Aから1光年も離れていますが、オレンジ色のこの伴星Bから見ると、フォーマルハウトは−6等の素晴らしい星として見えることでしょう。さらに驚いたことに主星Aから5°.7も離れた12等の星L・P876-10も伴星Cで、Aから2.5光年も離れてめぐっています。

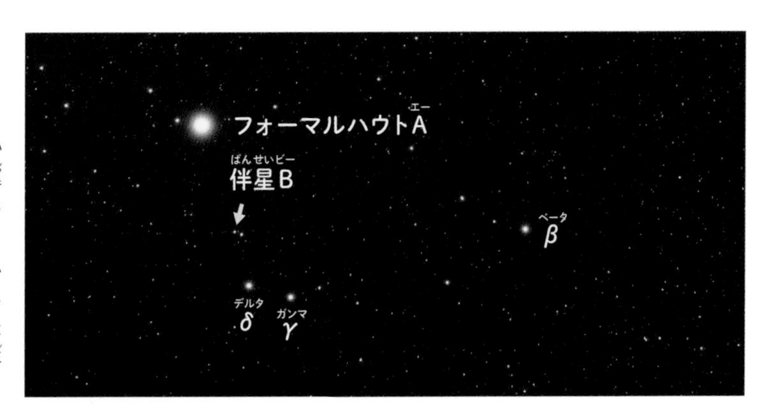

章 南半球の1等星を見上げよう！

南半球の1等星

日本から見えにくいか、あるいは日本からまったく見えない南半球の「天の南極」付近にも魅力的な星座や1等星がいくつも輝いていて、オーストラリアなどへ旅行すると目にすることができます。

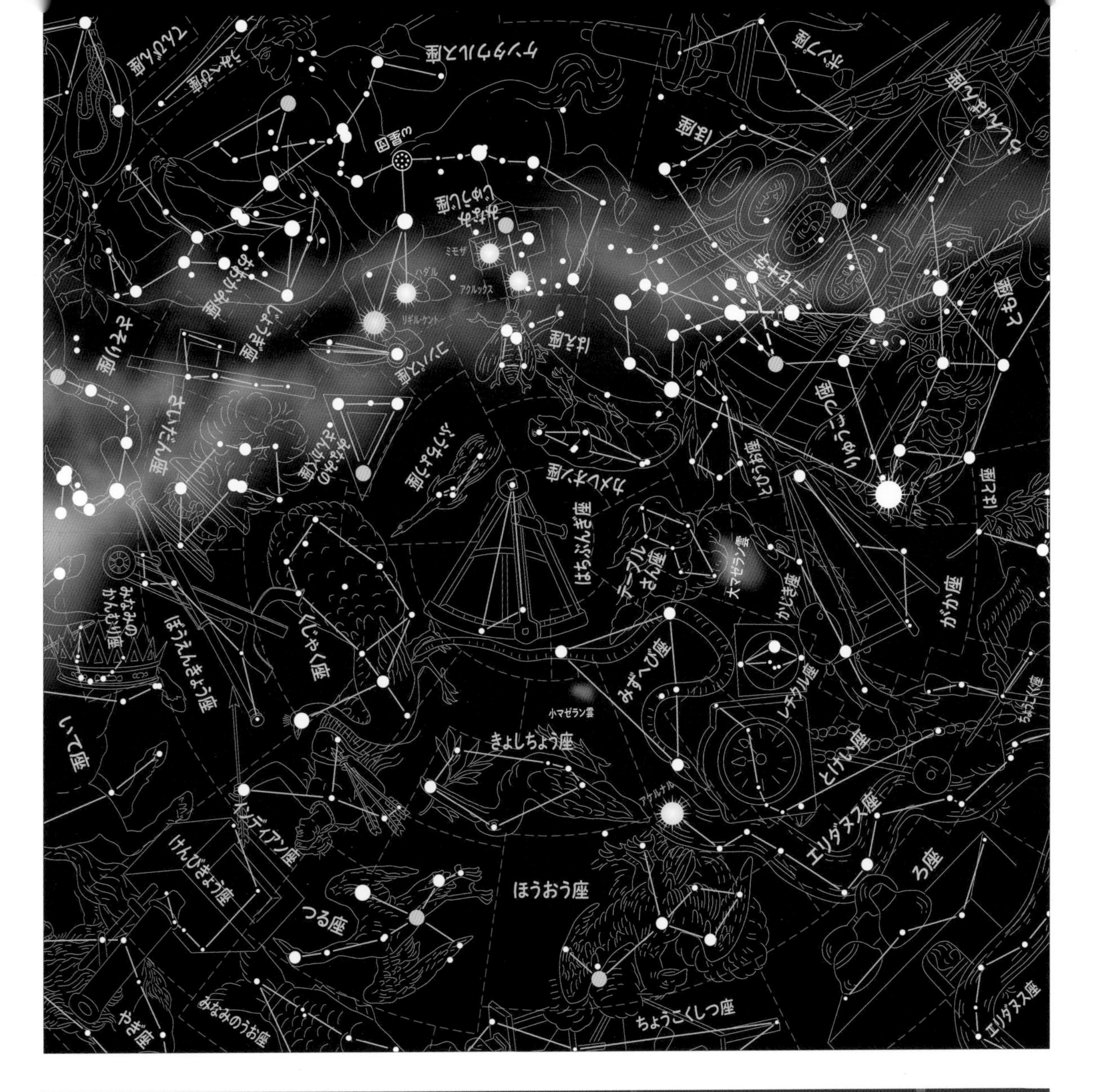

天の南極付近の星座と1等星

北半球に位置する日本では、北極星のある天の北極付近の星座は、一年中いつでも目にすることができますが、天球上でその真反対側にあたる天の南極付近の星座は、日本では南の地平線上に昇らないのでまったく見ることができません。しかし、南の沖縄付近では、みなみじゅうじ座やケンタウルス座のα星やβ星、それにりゅうこつ座のカノープス、エリダヌス座のアケルナルなど6個の1等星が見られるので、日本では一応すべての1等星にお目にかかれることになります。

長寿にあやかれる南極老人星 りゅうこつ座のカノープス

冬から春にかけての宵のころ、真南の地平線上に「アルゴ船座」という巨大な星座が姿を見せてきます。あまりに大きいので現在は船の各部分ごとに分けた星座となっていますが、その船の骨格とも言えるりゅうこつ座に、全天で2番目に明るい1等星カノープスが輝いています。しかし、日本や中国では、地平線低くにしか昇らないので見つけにくく、めったにお目にかかれないところから、おめでたい南の方角に現れる星として「南極老人星」と呼び、ひと目でも見ることができれば健康で長寿にあやかれるおめでたい星とされてきました。

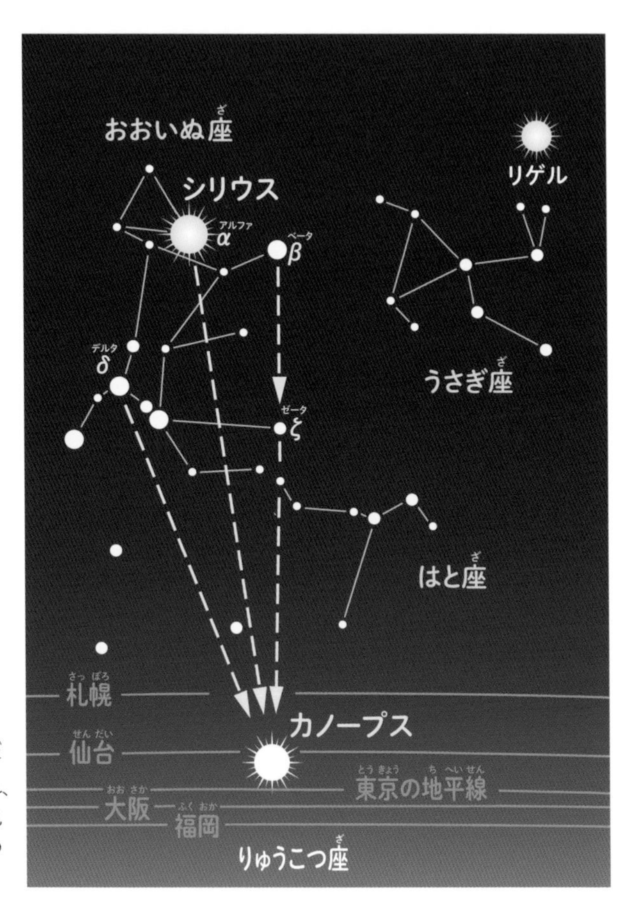

シリウスからカノープスを探そう

南半球に位置するカノープスは、日本付近の緯度からだと、南の地平線上にわずかにしか昇らないため、低空のモヤなどによって減光され、−0.7等の実際の輝きよりずっと暗めの星としてしか見えません。見つける目印となってくれるのは、おおいぬ座のシリウスで、右の図のようにたどるとカノープスの姿が見つけ出せます。

西春坊の入定塚

カノープスの日本の呼び名で最もよく知られているのは、千葉県の房総半島先端の布良地方で呼ばれる「布良星」でしょう。千葉県の南房総の白浜には、西春法師というお坊さんが地面に穴を掘って断食して死んだと伝えられる入定塚があり、そのお坊さんの身体を離れた魂は昇天して布良星となり、「自分の星が水平線上に輝くときは海がしけるので、けっして漁に出ないように」と言い残したそうです。こんな事情から布良のあたりでは、カノープスのことを「入定星」とも呼んでいたと言います。

南に行くと見えやすいカノープス

シリウスより少し暗めの−0.7等の青白い星がカノープスですが、日本では地平低くにしか昇らないので、場合によっては、3等星くらいの赤みを帯びた星としてしか見えないこともあります。右の写真は、カノープスを見ることのできる北限に近い福島で見た様子ですが、これからカノープスの見え方がわかるでしょう。カノープスは東北地方の中部から北よりのあたりでは、南の地平上に顔を出さないため、お目にかかることができませんが、南の地方ほど高く昇るようになるので、九州や沖縄方面では明るくて見つけやすい星として楽に見ることができます。ちなみに東京付近での高度はおよそ2°で、鹿児島付近で7°、沖縄の那覇付近では11°くらいになります。

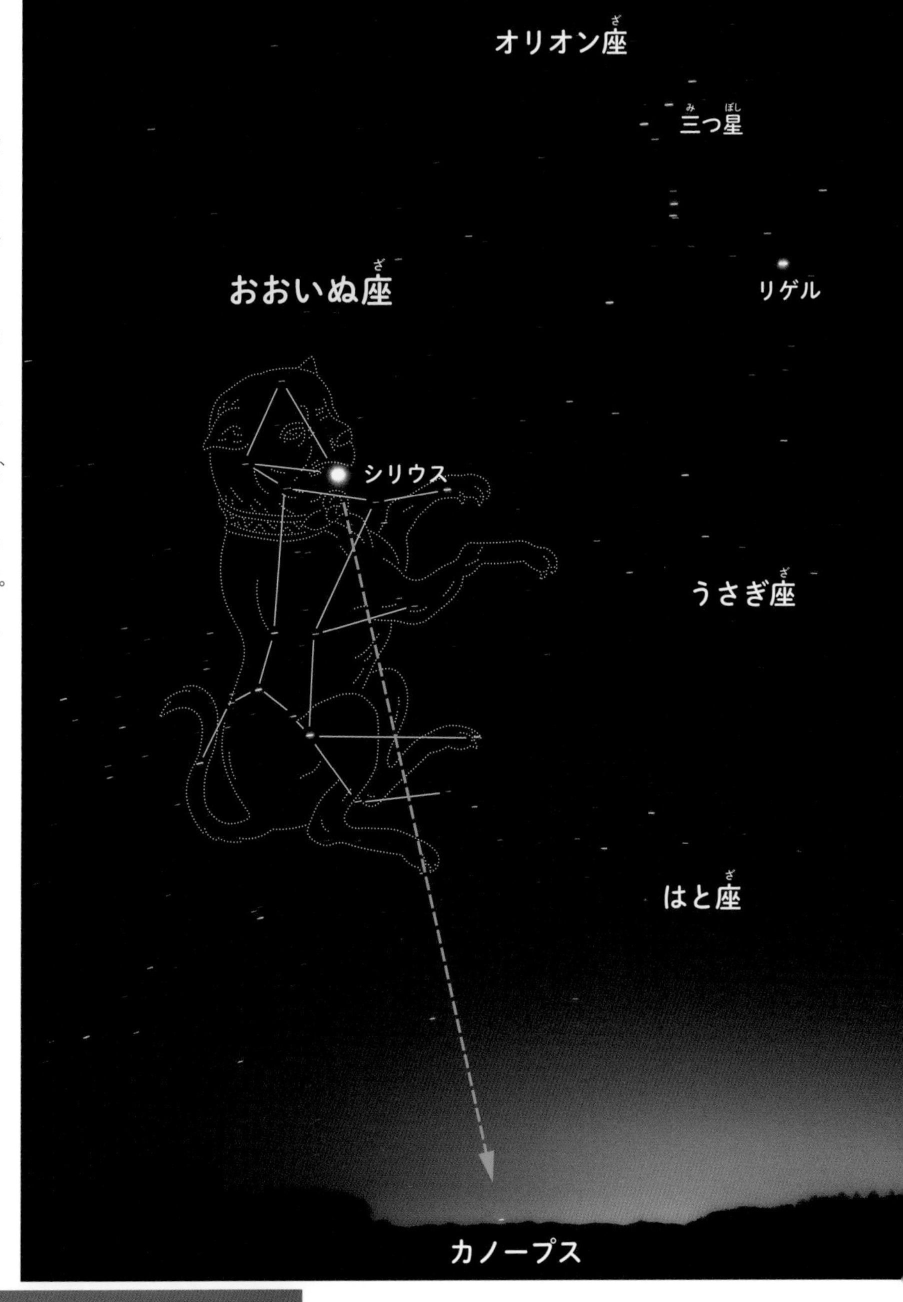

カノープスの光跡

北緯37°付近から見たカノープスの光跡を、望遠レンズでアップにしてとらえたものです。高度が1°にもならない低空のため、大気による減光などの影響を大きく受けて、赤く暗く、光跡がゆらめいているのがわかるでしょう。カノープスが南中（真南に来て最も高度が高くなる）するのは、元日のころだと午前0時ごろ、2月中旬だと午後9時ごろと見当づければよいでしょう。

全天で2番目に明るい恒星 りゅうこつ座のカノープス

青白く輝く
まぶしい星

日本では冬の南の地平線に低くしか見えないので、話題にはなりにくいのですが、南半球のオーストラリアやニュージーランドなどへ出かけると、2月ごろの宵の頭上で青白く輝く夏の星としてシリウスに次ぐ全天で2番目という素晴らしい明るさの星として見ることができます。

南極老人星カノープスの輝き

地球からの距離309光年のところにある表面温度が7000度の単独星です。もしカノープスを32.6光年（絶対等級）のところに持ってくると、−5.6等星で三日月なみの明るさで見えることになります。ちなみに、太陽をカノープスの距離309光年のところに持っていくと、9.7等の小さな星となって、肉眼ではもちろん双眼鏡でさえ見えなくなってしまいます。なおカノープスは、古代エジプトでは「水の神」として崇拝され、遊牧民たちは美しいという意味の名「アル・スハイル」と呼んでいました。日本や中国での呼び名は「南極老人星」です。

とても巨大なアルゴ船

この巨大な船は、コルキスの国の宝となっていたおひつじ座の金毛の牡羊の皮衣を取り戻すために、イアソン王子が船大工アルゴスに建造させたものです。イアソン王子の呼びかけに応え、ヘルクレス座の英雄ヘルクレスやへびつかい座の医神アスクレピオス、ふたご座のカストルやポルックスなどギリシャ神話で大活躍する若者たちが乗りこんで大遠征の旅に船出していきました。なお、アルゴとは「速い」という意味です。

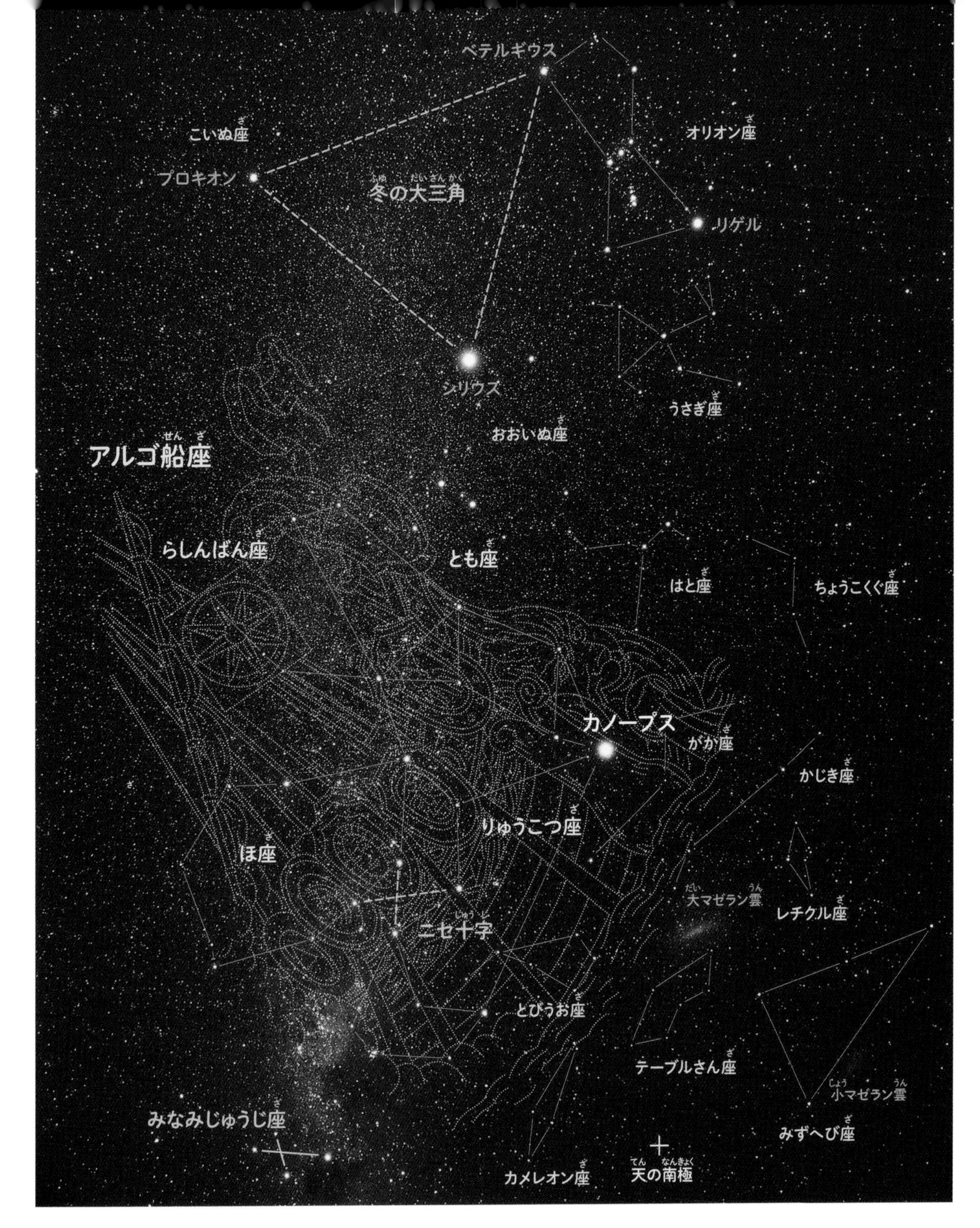

一度は見たい、アルゴ船座の全景

アルゴ船座という星座名はなく、現在はとも（船尾）座、りゅうこつ（竜骨）座、ほ（帆）座、らしんばん（羅針盤）座の４つに分割されています。南半球の頭上に浮かぶ巨大なアルゴ船座の全景は、一度は見てみたいと思う星座の１つです。

天上の大河エリダヌス川の果てに輝く エリダヌス座のアケルナル

エリダヌスとは聞きなれない名前と思われるかもしれませんが、実は川の神エリダヌスの名に由来するもので、天上を流れる大きな川の星座名というわけです。そのエリダヌス川の果てに輝く1等星がアケルナルで、見ることができるのは九州南部から沖縄あたりだけで、日本の大部分の地方では見ることのできない南天の星です。

青白い高温の星アケルナルの輝き

地球からの距離139光年のところにある、表面温度が1万6000度もある高温の星で、青白く輝いて見えています。明るさでは21個の1等星の中で、第10位にランクづけされる0.5等星ですが、32.6光年（絶対等級）のところに持ってくると、木星なみの−2.7等星として見えることになります。ちなみに太陽を140光年まで遠ざけると、8等星となり肉眼では見えません。

赤道部分がふくらんだアケルナル

太陽よりずっと大きなアケルナルの最大の特徴は、その高速自転ぶりで、なんと秒速225kmに達します。このため、赤道部分が極方向に比べて2倍近くもふくらんだひしゃげた形となっています。これは、それ以上速くなると、強い遠心力のために星としての安定性が破れ、壊れてしまいかねないというスピードに近い自転速度です。

エリダヌス座の全景を見るなら南半球へ

エリダヌス川の流れは、冬の宵のオリオン座の足下に輝く1等星リゲルの近くに源を発し、小さな星を南へ、西へ、東へとつらねて南下していき、川の果てアケルナルに達します。そのエリダヌス川の全景を頭上に見るためには、オーストラリアやニュージーランドなど南半球へ出かけなければなりません。

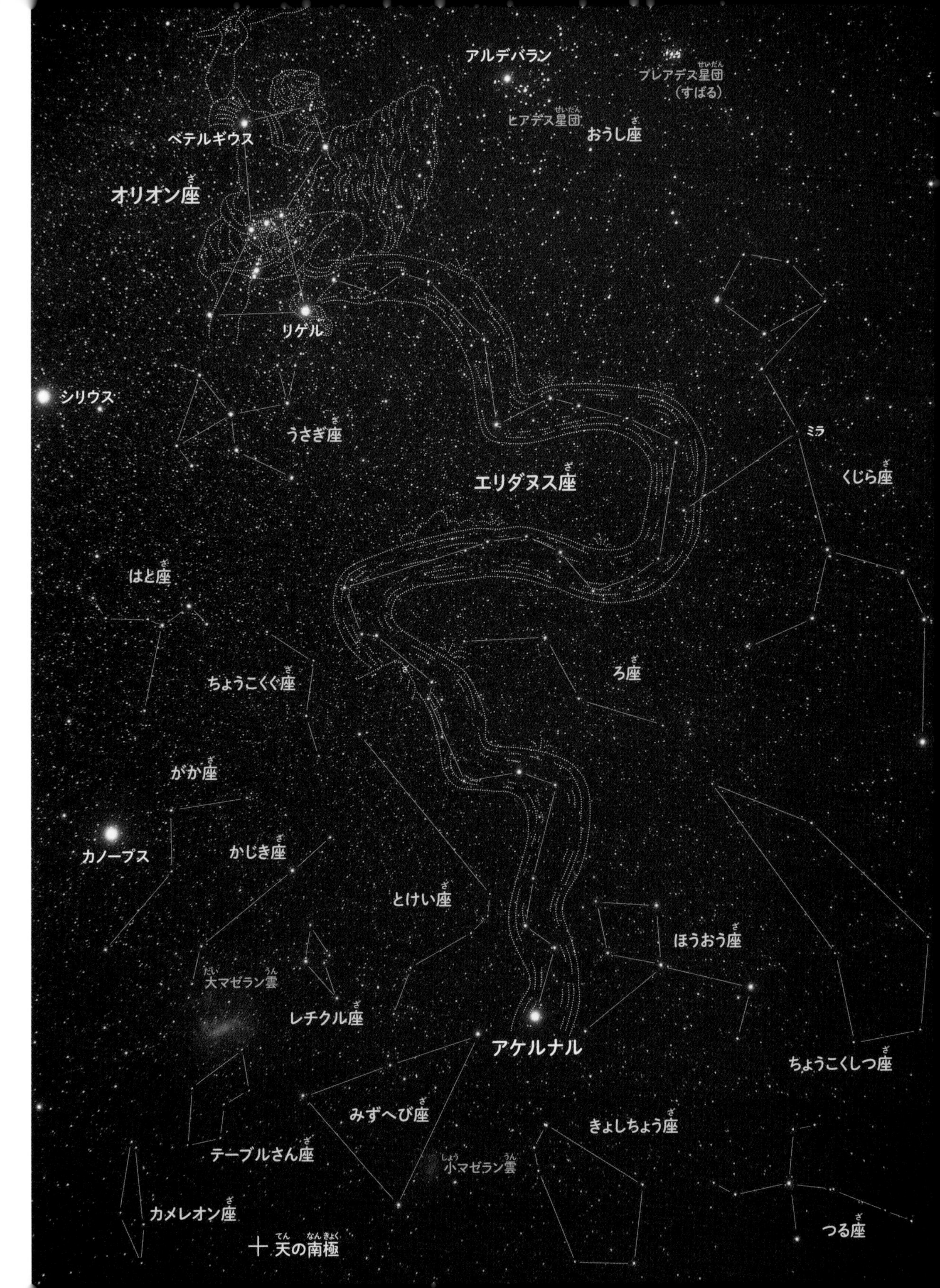
アルデバラン
プレアデス星団
（すばる）
ヒアデス星団
おうし座
ベテルギウス
オリオン座
リゲル
シリウス
うさぎ座
ミラ
くじら座
エリダヌス座
はと座
ちょうこくぐ座
ろ座
がか座
カノープス
かじき座
とけい座
ほうおう座
大マゼラン雲
レチクル座
アケルナル
ちょうこくしつ座
みずへび座
きょしちょう座
テーブルさん座
小マゼラン雲
カメレオン座
つる座
天の南極

太陽に一番近い恒星 ケンタウルス座のα星

上半身は人間なのに、下半身は馬という奇妙な半人半馬の怪人の姿をしたのがケンタウルス座で、日本では初夏の宵の南の地平線上に上半身だけが見られます。見ることのできない地平下の馬身の足の部分に明るく輝くのが、私たちの太陽系に最も近い恒星としておなじみの「ケンタウルス座のα星」です。

連星ケンタウルス座α星の輝き

この星は「リゲル・ケント」と呼ばれることもありますが、この名はあまり一般的ではなく、普通「ケンタウルス座のα星」とギリシャ文字の符号名のほうで呼ばれています。地球からの距離4.3光年のところにある－0.3等星ですが、実態は－0.0等と1.3等の2つの星がめぐりあう連星です。

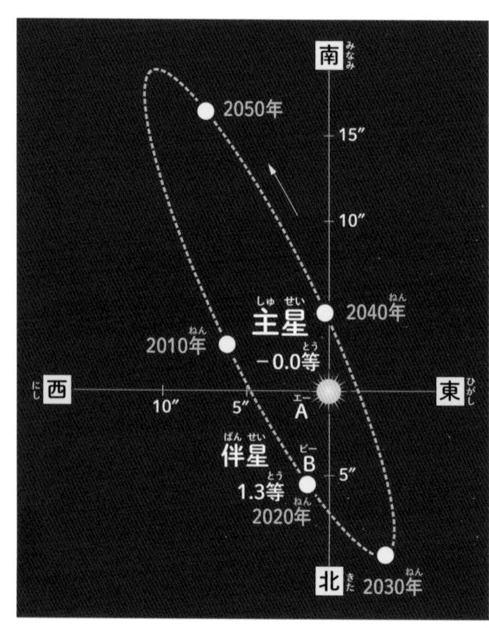

ケンタウルス座α星の軌道

主星Aと伴星Bは、79.9年の周期でめぐりあう連星ですが、このペアにはもう1つ、次のページのようなプロキシマと呼ばれる11.01等の小さな伴星Cが、およそ1万5000天文単位ほど離れてまわっているので、実態は三重連星系ということになります。AとBは、2015年に4″.0まで近づいたあと、少しずつ離れ出して、2029年には10″.4まで大きく離れます。そして、2039年には1″.7と最も接近して見えます。

望遠鏡で見たα星

肉眼では1個の明るい－0.3等星として、ケンタウルス座の前足のところで輝いていますが、望遠鏡で見ると低倍率でも－0.0等と1.3等の似たような明るさの星2つがくっついているのがわかり、興味深い眺めとなります。

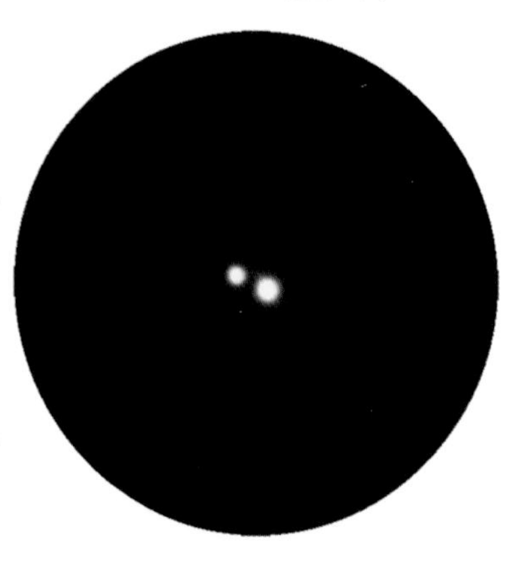

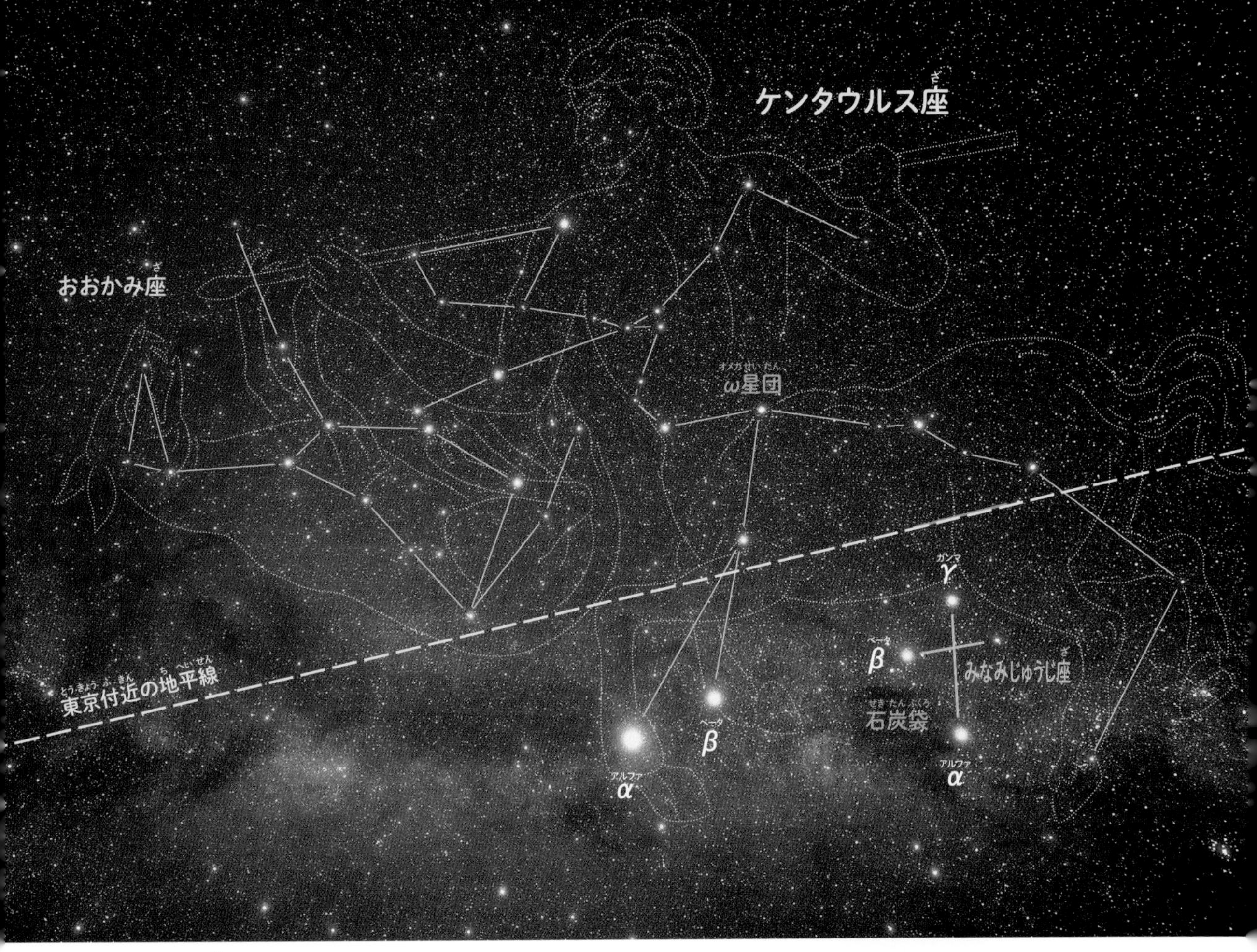

ケンタウルス座

日本の大部分の地方では、足下に輝くα星は、南の地平線上に昇らないので見られませんが、76ページのように沖縄付近では南の水平線上で見ることができます。なお、α星のAとBのペアは、Aが太陽の重さの1.1倍、Bが0.9倍と、太陽によく似た星どうしと言えます。14ページにはα星から見た太陽の輝く星座の位置が示してあります。

「隣接」の星!? プロキシマ

ケンタウルス座α星は、太陽によく似た主星Aと伴星Bがめぐりあうほか、11.01等の小さな赤色矮星Cが2°.2も南西に離れたところにあります。距離はAとBの4.3光年に比べ、4.2光年とほんのわずか太陽に近く、このため私たちに最も近い恒星として「隣接」という意味の名前で「プロキシマ」と呼ばれています。プロキシマの直径は、太陽の14%、木星の1.4倍しかなく、重さも太陽の12%しかありません。表面温度も3000度と低く赤くさえない星ですが、ときおり0.5等くらい急に明るさを増すフレア・スター（閃光星）となっています。連星AとBの周囲をめぐる周期はざっと40万年もかかり、あと10万年もするとAとBの向こう側にまわり、プロキシマは太陽に最も近い星ではなくなってしまいます。

南十字星のポインター ケンタウルス座のβ星

ケンタウルス座の前足には、太陽に最も近い恒星としておなじみの－0.3等のα星と0.6等のβ星ハダルが東西にわずか4.5°の間隔で並んでいます。両方とも日本のほとんどの地方では、南の地平線上に顔を出してくれないため、その輝きを見るには、少なくとも沖縄付近まで南下しなければなりません。

南十字星を探すときに便利

ケンタウルス座のα星とβ星は東西に並んでいるので、その間隔を2倍ほどβ星側、つまり西よりに延長していくと、有名な南十字星が見つけられます。このため、ケンタウルス座のα星とβ星は、南十字星を指し示すポインターと呼ばれています。

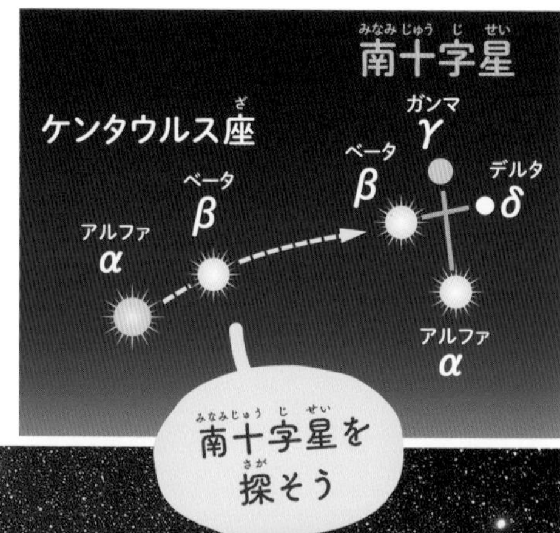

ケンタウルス座α星、β星とみなみじゅうじ座

α星は太陽に似た黄色みがかった輝きをしていますが、β星は青みがかって見えます。β星は357日の周期でめぐりあう青色巨星の近接連星に小さな伴星がめぐる三重連星系というのが実態で、地球からの距離392光年とα星の100倍も遠くにあるので、もしα星まで近づけると、満月より明るく輝いて見えることになります。

南天で見られる天の川

中央あたりが、夏の宵の南の空に見えるさそり座付近で、いて座との間に天の川銀河「銀河系」の中心方向があるため、天の川の輝きがひときわ明るく幅広く見えています。その天の川の南に続く光芒の中にケンタウルス座のα星やβ星、南十字星などがあります。オーストラリアなど南半球では、冬の宵の頭上に見える光景です。

南十字星は全天一小さな星座 みなみじゅうじ座のα星

日本では「南十字星」として有名な「みなみじゅうじ座」は、南半球の星空へのあこがれをさそう星座としておなじみですが、全天88星座の中で最も小さな星座です。しかし、2つの1等星α星とβ星を含み、明るさでは88星座中で最も明るいものとなっています。

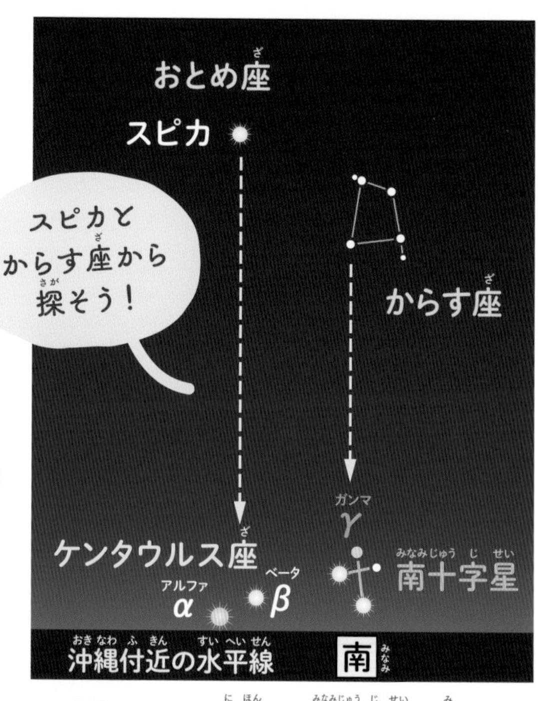

日本でも南十字星が見られる

沖縄付近でなら春の宵のよく晴れたとき、真南の水平線上に十文字が立つのを見ることができます。南十字のうち一番北よりのγ星だけなら、九州や四国、紀伊半島の南部あたりでもかろうじて見えますが、最北端の記録では山口県の瀬戸内海でγ星の写真が撮られています。

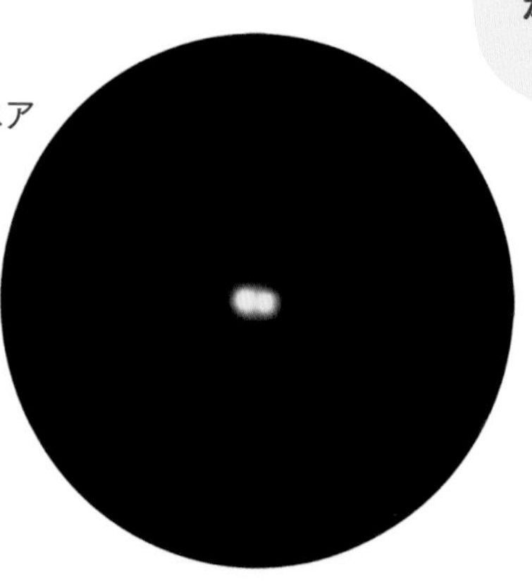

望遠鏡で見たα星のペア

南十字星のうち南よりに輝くα星は、「アクルックス」とも呼ばれる0.8等星ですが、望遠鏡で見ると、1.6等と2.1等の2つの星がぴったりよりそう素晴らしい二重星だとわかります。地球から322光年のところにある実視連星ですが、さらに2つの小さな伴星がめぐる四重連星系です。

グアム島で見た南十字星

ヤシの葉の陰に輝く南十字星を見たいときには、グアム島やハワイ付近の緯度で見上げるのがおすすめです。これは5月の宵のころ、グアム島でとらえた写真で、左側にケンタウルス座のα星とβ星、右側に南十字星が見えています。

ニセ十字にだまされないで！

南十字星の近くには、もう1つやや大きめの十字の星の並びがあり「ニセ十字」と呼ばれています。南十字は全天一の小星座ですが、ニセ十字はりゅうこつ座や、ほ座などの明るめの星を結びつけて描く十文字の形です。本物の南十字星の方がコンパクトにまとまって明るいので、ニセものと見まちがえるようなことは、実際にはないと言えますが、78ページのように天の南極を見つけるときにニセ十字を使ってしまうと、真南の方向を見まちがえてしまうことになるので、注意しましょう。

ハワイで見られる南十字星

日本の季節で言えば、南十字星（みなみじゅうじ座）は、春の宵のころに見やすくなる星座です。このため、ハワイやグアム島あたりでは、3月から7月ごろの間が南の空での見ごろとなります。ハワイ付近での緯度では、真南の水平線上に一番高く昇ったときで10°くらいになります。29ページにあるげんこつのスケールで言えば、げんこつ1個分の高さのあたりというわけです。ただし、見える方向は少し変わりますが、時刻が違っても南十字星を見ることができるので、時刻と南十字星の傾きの様子を右の図で示しておきます。

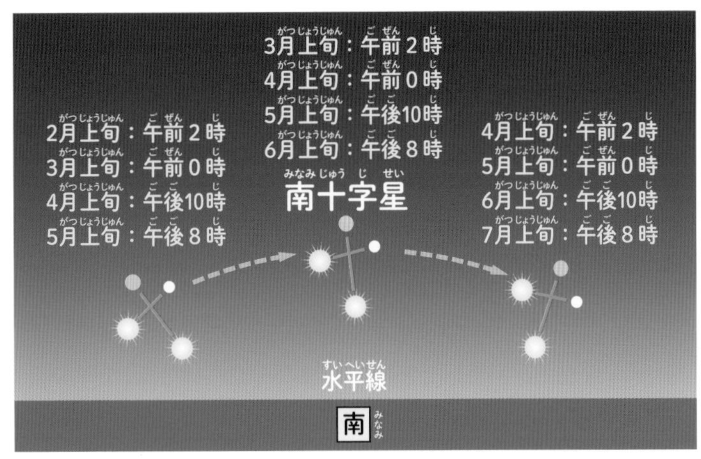

南十字星は天の南極の目印 みなみじゅうじ座のβ星

地球の地軸の指す北の方向で、北半球で見えるのが「天の北極」です。そのよい目印となってくれるのが北極星ですが、赤道を越えて南半球に入ると、天の南極を指し示してくれる明るい星がないので、真南の方向は南十字星を使って見当づけることになります。なお、南十字星のうちの1.2等のβ星は「ベクルックス」とも呼ばれ、地球からの距離279光年のところにある表面温度2万5000度の高温度星です。11等の伴星も連れています。

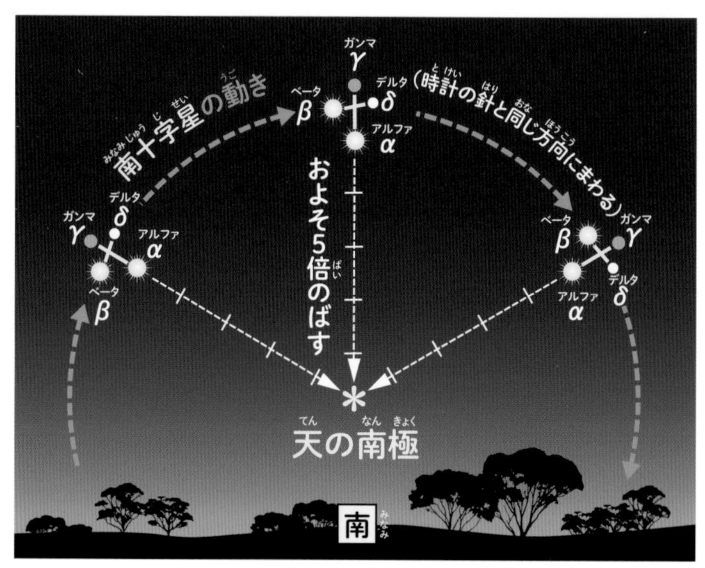

天の南極は南十字星から探そう

天の北極付近の反時計まわりの星のめぐりとは逆に、天の南極付近の星は、時計まわりに回転していきます。南十字星の傾きもそれにつれて変わりますが、十文字の長い一辺はいつも天の南極を指し示してくれています。

南十字星は東京でも見えた!? これから見える!?

日本では南十字星は、沖縄方面へ出かければ見ることができますが、国内の大部分の地方ではお目にかかることができません。しかし、52ページの地軸の首ふり運動の「歳差」のため、今から9000年後には東京付近でも見えるようになっています。一方、縄文時代のころには、青森の三内丸山遺跡で生活していた人たちの目にも、南十字星は見えていたことでしょう。過去、未来の星空の様子に思いをめぐらせてみるのも楽しいものです。

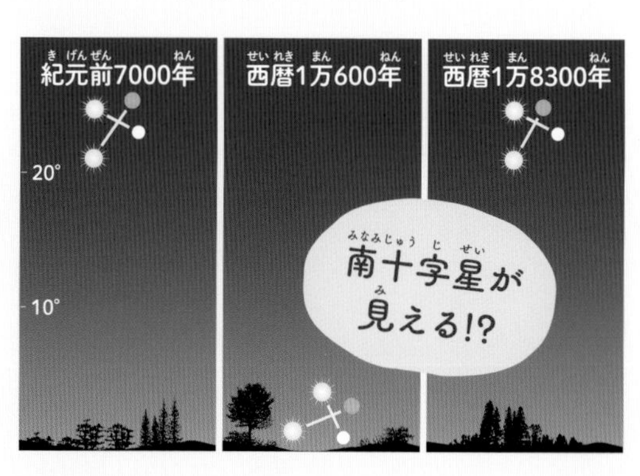

天の南極の日周運動から真南探し

天の北極には2等星の北極星が輝いているので、真北の方向はすぐにわかりますが、天の南極には明るい星がないので、前のページにあるように南十字星を使って真南の方向の見当をつけるようにしなければなりません。なお、西暦1万5000年ごろには、りゅうこつ座のカノープスが天の南極の近くで輝き、南極星の役をになってくれることになります。

みなみじゅうじ座の形がくずれちゃう

南十字星は、みなみじゅうじ座で輝く明るい4個の星で形づくる十文字の星の並びですが、過去も未来も、現在私たちが目にしているきれいな十文字の形に見えるというわけではないのです。これは、星座を形づくる恒星が宇宙空間で思い思いの方向に移動しているため、長い間に星の位置が変わってしまうからです。5万年前と5万年後では、十字の形は右の図のように変化してしまいます。私たちは一番よいときに、形の整った十文字の形を見せてもらっていることになります。

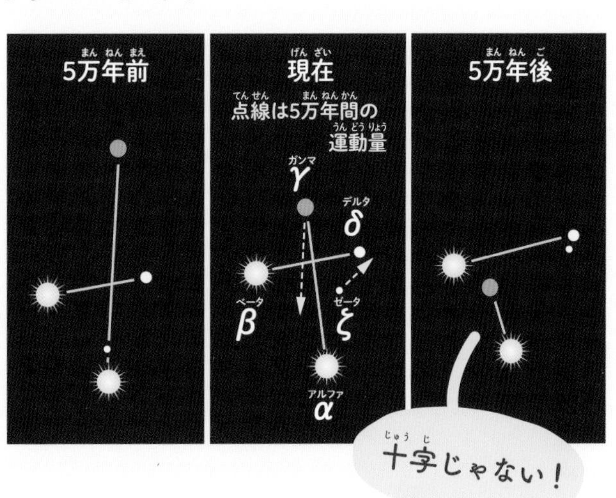

藤井 旭（ふじい あきら）

1941年、山口県に生まれる。1963年多摩美術大学卒業。1969年に星仲間とともに白河天体観測所をつくる。1995年にオーストラリアにチロ天文台をつくり、南半球の天体観測にも取り組む。国内外で撮影した天体写真は多くのファンを魅了し、国際的な天体写真家として知られている。『星になったチロ』（ポプラ社）、『月と暮らす。』（誠文堂新光社）など、天文関係の著書多数。2022年没。

写真・資料協力　岡田好之 / 川上勇 / 品川征志 / 大野裕明 / 轟真珠 / チロ天文台 / 李元 / 丹野顕 / AURA / C&Eフランス / D.M.Images / ESO / JPL / NASA / スカイ・エンタープライズ

引用・参考　天文学辞典（公益社団法人 日本天文学会）
https://astro-dic.jp / 『理科年表2023（机上版）』（丸善出版）

※本書は2014年刊『子供の科学★サイエンスブックス 1等星図鑑』を改題のうえ、加筆・修正・再編集したものです。

STAFF

カバーデザイン　熊谷昭典、宇江喜桜（SPAIS）
本文デザイン　中山詳子、渡部敦人（松本中山事務所）
校正　新宮尚子
編集協力　鶴留聖代

子供の科学サイエンスブックス NEXT
全21個の特徴をすべて解説
明るい星がよくわかる！ 1等星図鑑

2024年1月30日　発　行　　NDC440

著　　者　藤井 旭
発 行 者　小川雄一
発 行 所　株式会社 誠文堂新光社
〒113-0033 東京都文京区本郷 3-3-11
電話 03-5800-5780
https://www.seibundo-shinkosha.net/
印刷・製本　図書印刷 株式会社

ISBN978-4-416-72346-3